사고력을 키우는

구성과 특징

1주 연산 원리 학습

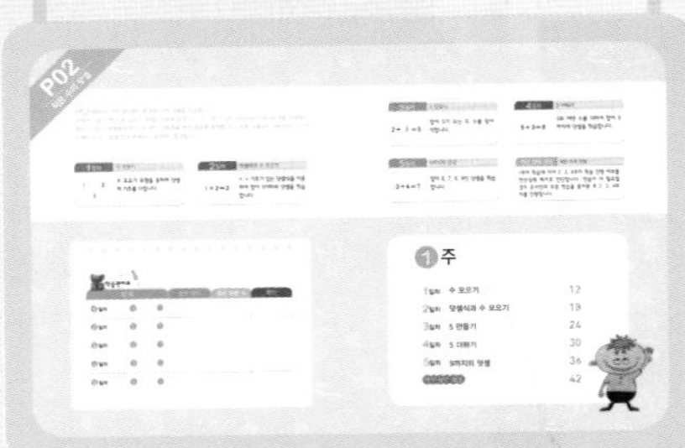

붙임 딱지 등의 활동으로
연산 원리를 재미있게 체득

2주 연산 응용 학습

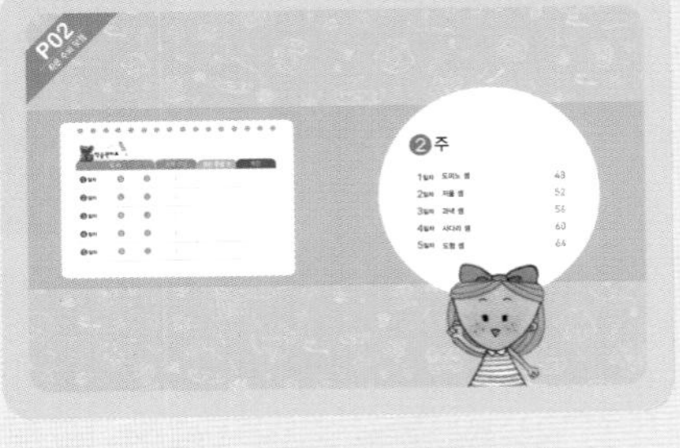

연산 원리를 응용한 문제를
풀어 보며 문제해결력 신장

+ 정답

아이와 자연스럽게 학습을 시작할 수 있도록 스토리텔링 방식 도입

아이들이 배우는 연산 원리에 대한 학습가이드 제시

연산 실력 체크 진단 + 보충 온라인 보충 학습

2~4주차 사고력 연산을
학습하기 전에 연산 실력 체크

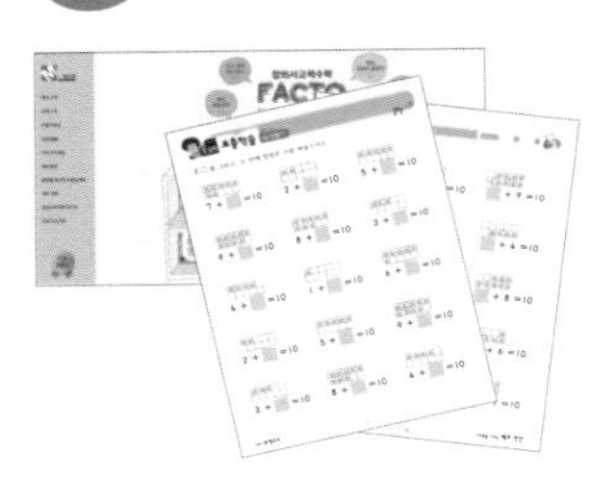

매스티안 홈페이지에서 제공하는
보충 학습으로 연산 원리 다지기

온라인 활동지

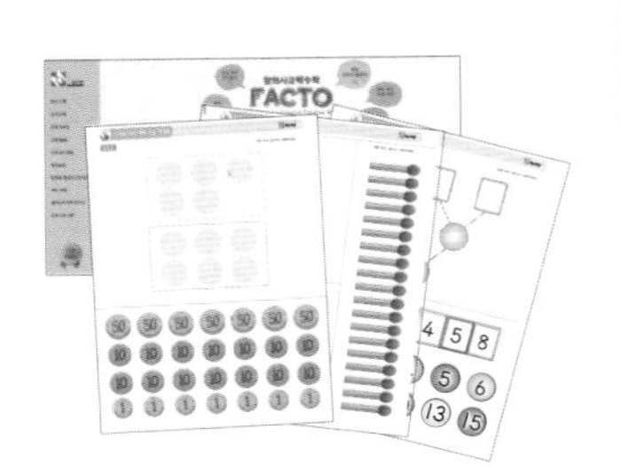

매스티안 홈페이지에서 제공하는
활동지로 사고력 연산 이해도 향상

3주 사고력 학습 1

연산 원리를 바탕으로 한 사고력 연산
문제를 풀어 보며 수학적 사고력과 창의력 향상

4주 사고력 학습 2

연산 원리를 바탕으로 한 사고력 연산
문제를 풀어 보며 수학적 사고력과 창의력 향상

3, 4주차 1일 학습 흐름

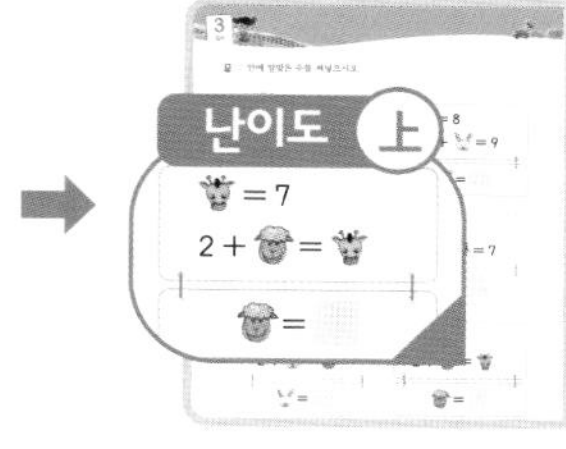

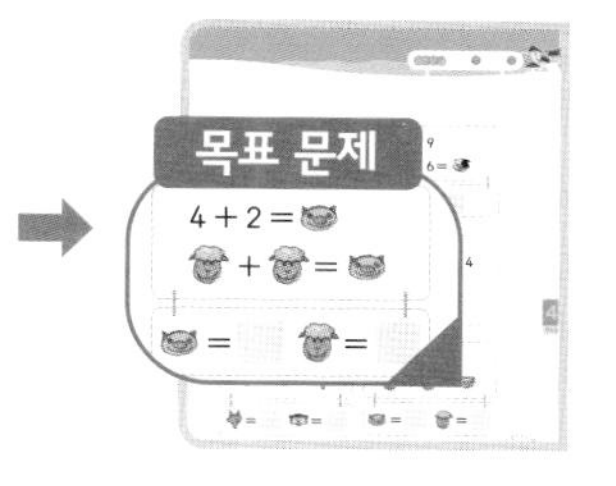

특정 주제를 쉬운 문제부터 목표 문제까지 차근차근
학습할 수 있도록 설계 되어 있어 자기주도학습 가능

App Game 팩토 연산 SPEED UP

앱스토어에서 무료로 다운받은
팩토 연산 SPEED UP으로 덧셈, 뺄셈,
곱셈, 나눗셈의 연산 속도와 정확성 향상

부록 칭찬 붙임 딱지, 상장

학습 동기 부여를 위한
칭찬 붙임 딱지와 연산왕 상장

사고력을 키우는 팩토 연산 시리즈

| 권장 학년 : 7세, 초1 |

권별	학습 주제	교과 연계
P01	10까지의 수	❶학년 1학기
P02	작은 수의 덧셈	❶학년 1학기
P03	작은 수의 뺄셈	❶학년 1학기
P04	작은 수의 덧셈과 뺄셈	❶학년 1학기
P05	50까지의 수	❶학년 1학기

| 권장 학년 : 초1, 초2 |

권별	학습 주제	교과 연계
A01	100까지의 수	❶학년 2학기
A02	덧셈구구	❶학년 2학기
A03	뺄셈구구	❶학년 2학기
A04	(두 자리 수)+(한 자리 수)	❷학년 1학기
A05	(두 자리 수)−(한 자리 수)	❷학년 1학기

| 권장 학년 : 초2, 초3 |

권별	학습 주제	교과 연계
B01	세 자리 수	❷학년 1학기
B02	(두 자리 수)+(두 자리 수)	❷학년 1학기
B03	(두 자리 수)−(두 자리 수)	❷학년 1학기
B04	곱셈구구	❷학년 2학기
B05	큰 수의 덧셈과 뺄셈	❸학년 1학기

| 권장 학년 : 초3, 초4 |

권별	학습 주제	교과 연계
C01	나눗셈구구	❸학년 1학기
C02	두 자리 수의 곱셈	❸학년 2학기
C03	혼합 계산	❹학년 1학기
C04	큰 수의 곱셈과 나눗셈	❹학년 1학기
C05	분수·소수의 덧셈과 뺄셈	❹학년 1학기

P01 10까지의 수 목차

P01 10까지의 수

P01 권에서는 10까지의 수의 개념을 학습합니다.
1에서 5까지의 수에서 시작하여 9까지의 수로 수의 범위를 확장하고, 1 큰 수와 1 작은 수의 원리를 이용하여 0과 10을 도입함으로써 0에서 10까지의 수를 익힙니다. 이때 사용되는 계란판 모형은 수의 구조를 쉽게 이해하는데 효과적인 도구입니다.

1일차 5까지의 수

2

5까지의 수의 개념을 이해하고 수로 나타냅니다.

2일차 9까지의 수

9

9까지의 수의 개념을 이해하고 수로 나타냅니다.

학습관리표

일 자	소요 시간	틀린 문항 수	확인
① 일차 월 일	:		
② 일차 월 일	:		
③ 일차 월 일	:		
④ 일차 월 일	:		
⑤ 일차 월 일	:		

3일차 수의 순서

6	7	8	9

9까지의 수의 순서를 학습합니다.

4일차 1 큰 수, 1 작은 수

1 작은 수 / 1 큰 수

4 — (5) — 6

1 큰 수, 1 작은 수의 원리를 통해 0에서 10까지의 수를 학습합니다.

5일차 두 수의 크기 비교

4 (<) 8

10까지의 수에서 두 수의 크기를 비교하여 >, < 기호로 나타냅니다.

연산 실력 체크

1주차 학습에 이어 2, 3, 4주차 학습을 원활히 하기 위하여 연산 실력 체크를 합니다.
연습이 더 필요할 경우에는 매스티안 홈페이지의 보충 학습을 풀어 봅니다.

1 주

5 까지의 수

크리스마스 장식을 붙이며 수를 세어 보시오.

준비물 ▸ 붙임 딱지

양말	2
지팡이 사탕	1
장식 공	3
종	4

개수를 세어 보시오.

수를 쓰며 개수를 세어 보시오.

공부한 날
월
일

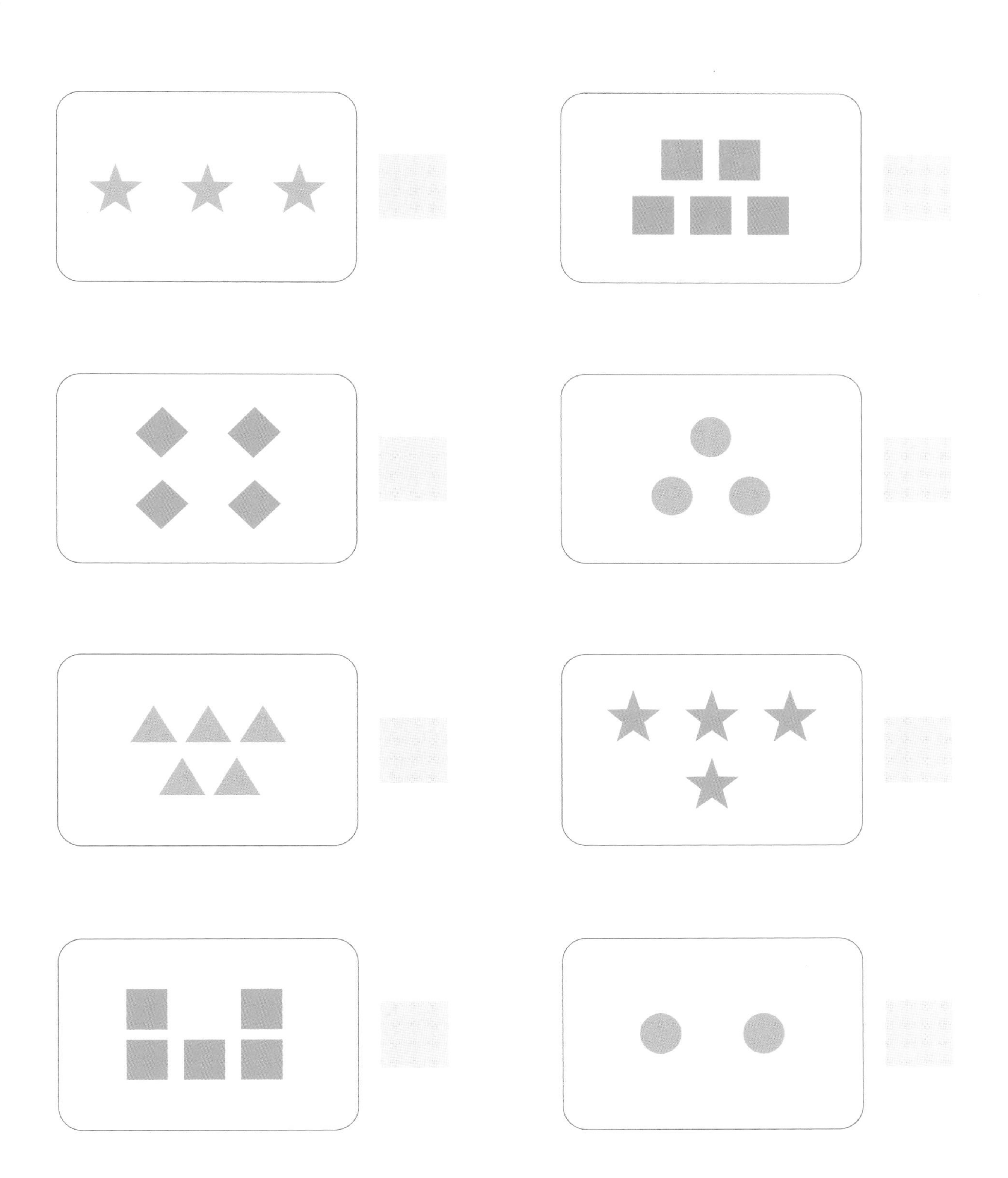

개수를 세어 보시오.

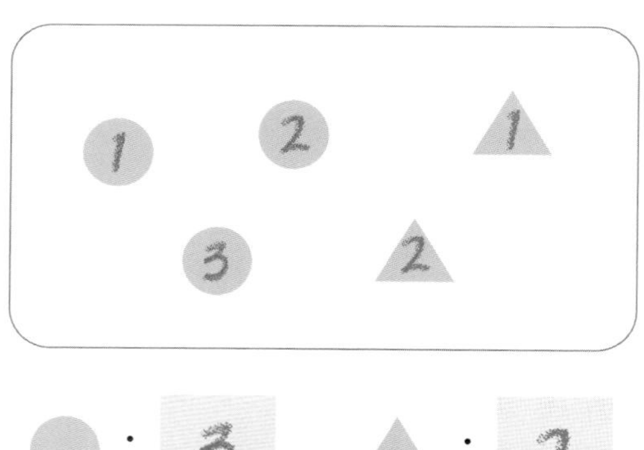

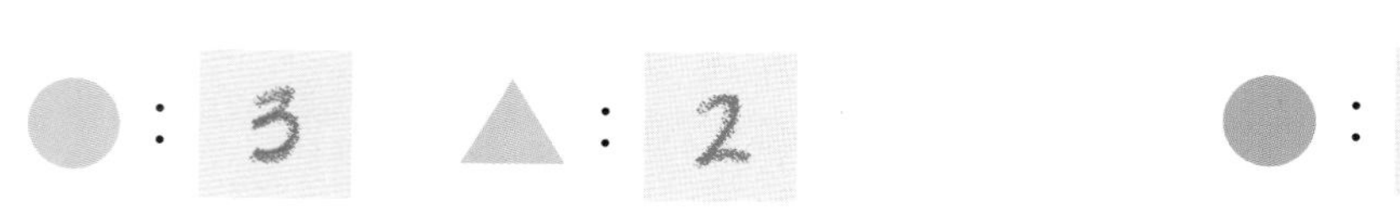

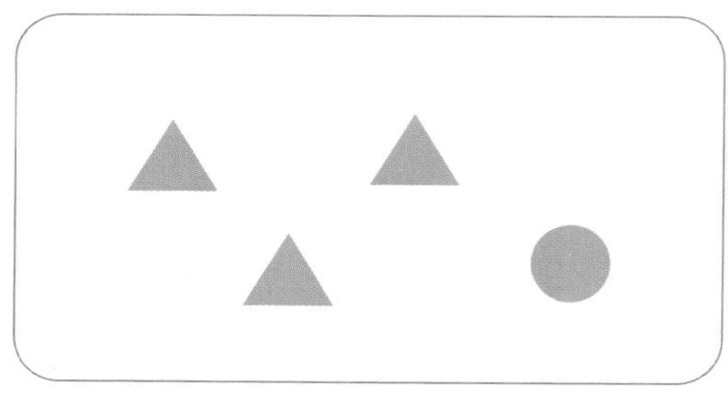

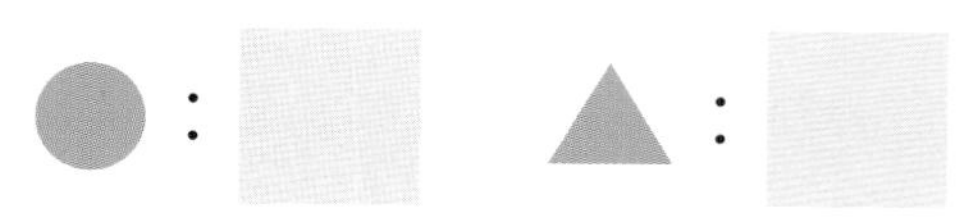

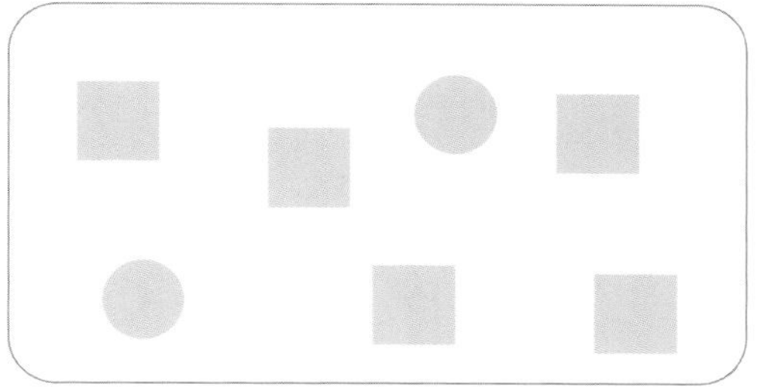

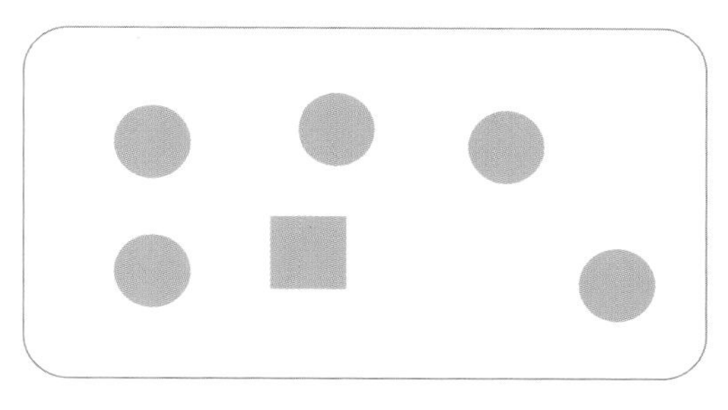

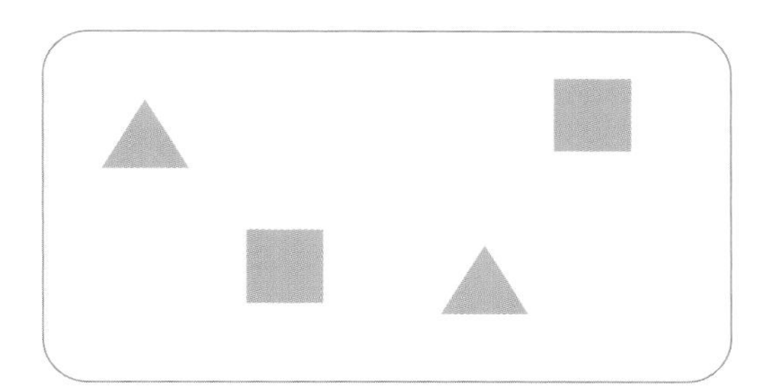

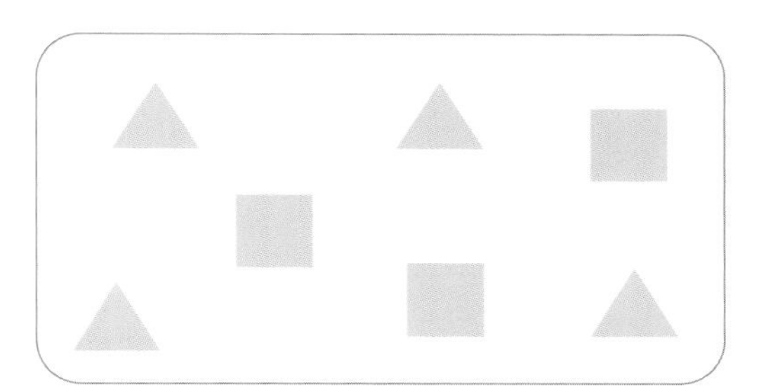

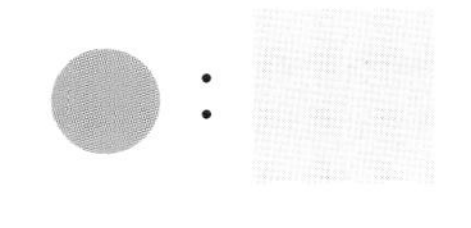

오늘은 얼마나 잘했을까요?
칭찬 붙임 딱지를
붙여 주세요!

9까지의 수

토끼와 두더지를 붙이며 수를 세어 보시오.

준비물 ▸ 붙임 딱지

동물의 수를 세어 보시오.

보기

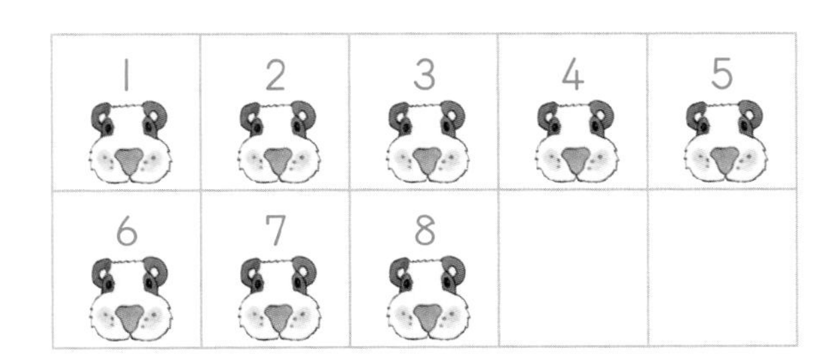

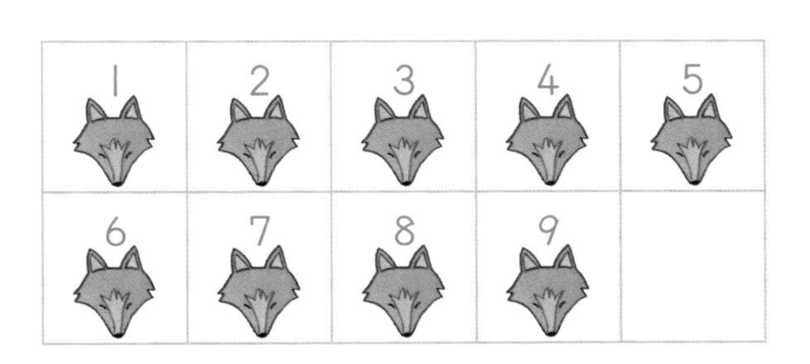

개수를 세어 보시오.

1 2 3 4 5
6

6

1 2 3 4 5
6 7

1 2 3 4 5

1 2 3 4 5

1 2 3 4 5

1 2 3 4 5

1 2 3 4 5

1 2 3 4 5

1 2 3 4 5
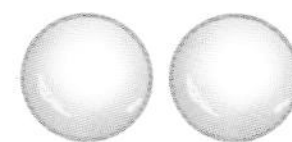

1 2 3 4 5
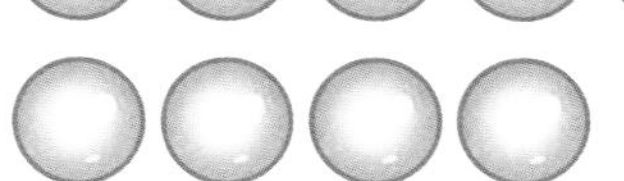

1 2 3 4 5

1 2 3 4 5

1 2 3 4 5

1 2 3 4 5

1 2 3 4 5

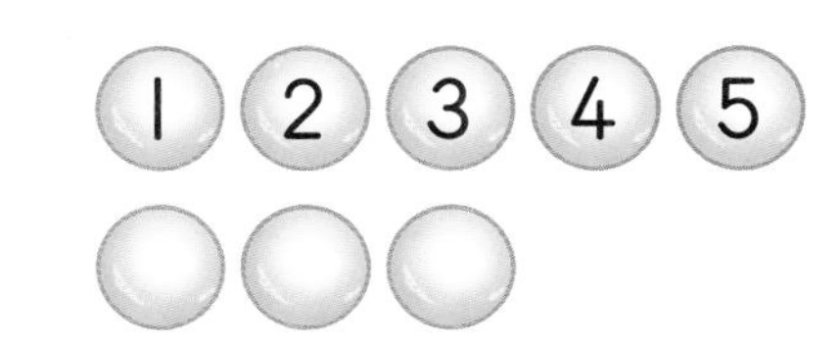
1 2 3 4 5

개수를 세어 보시오.

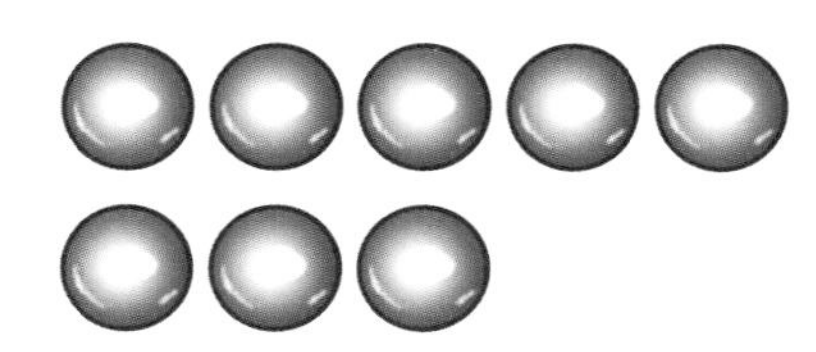

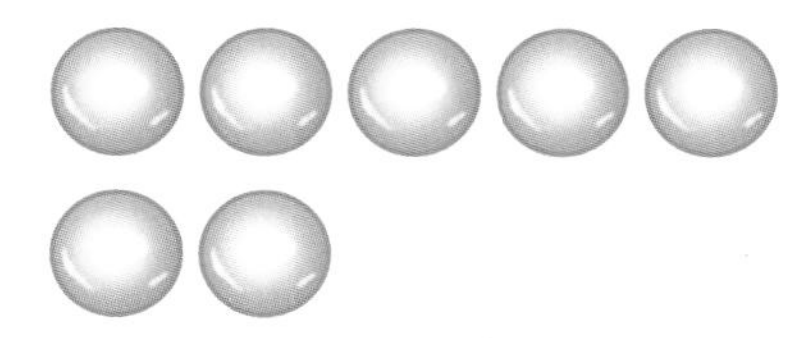

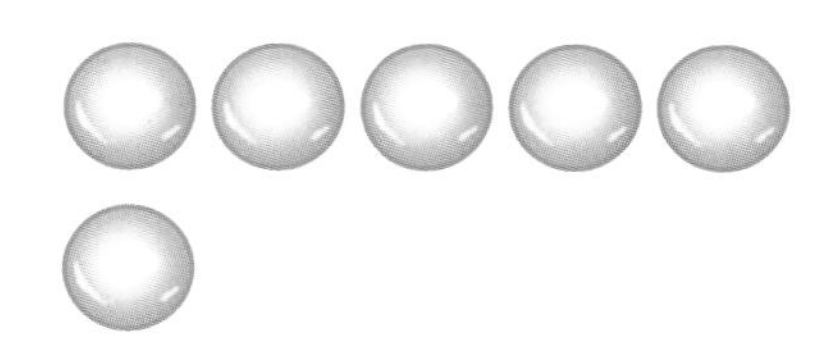

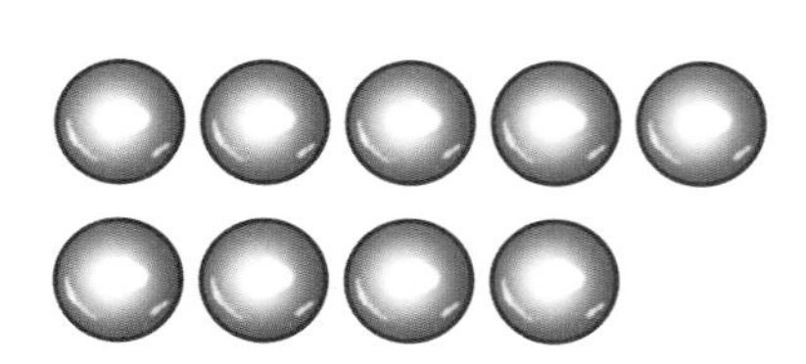

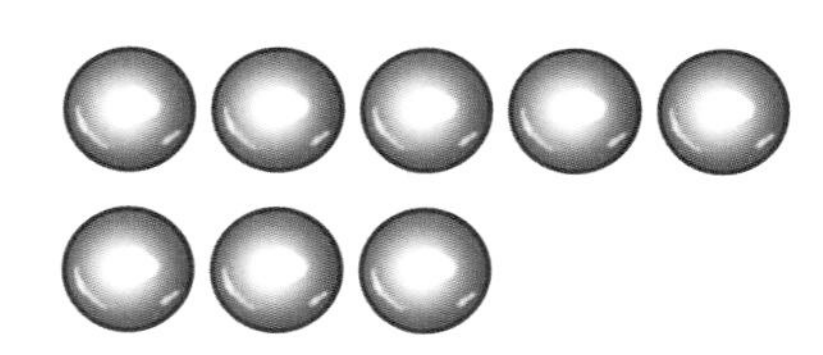

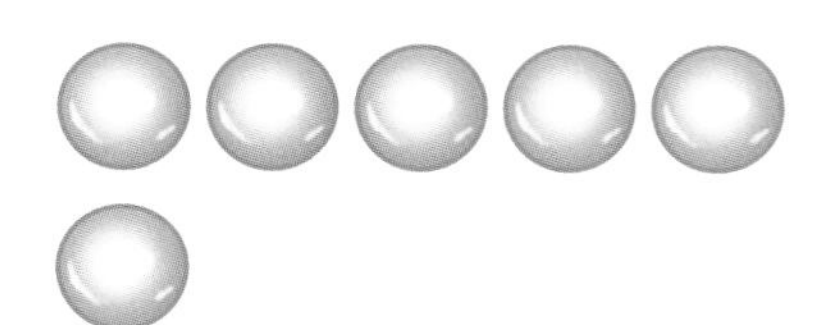

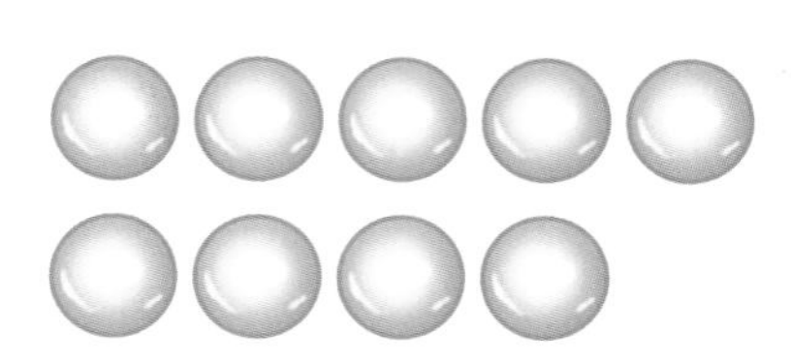

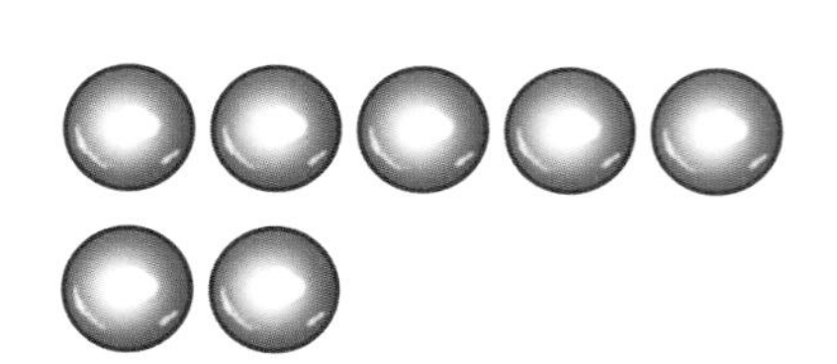

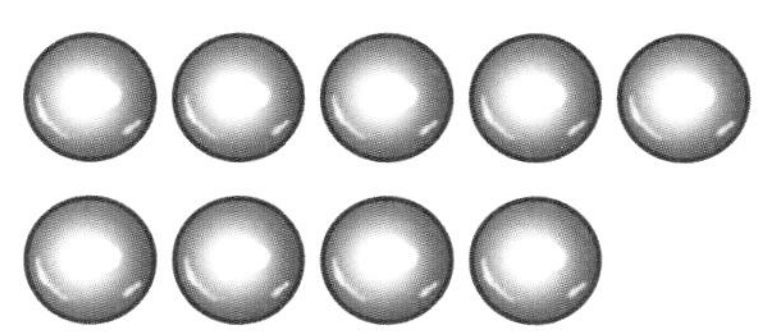
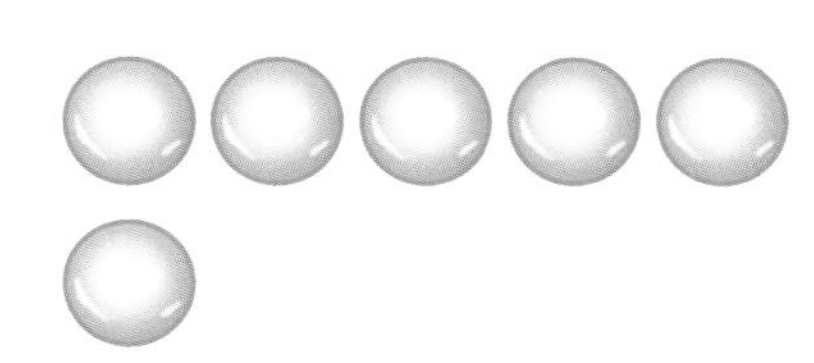

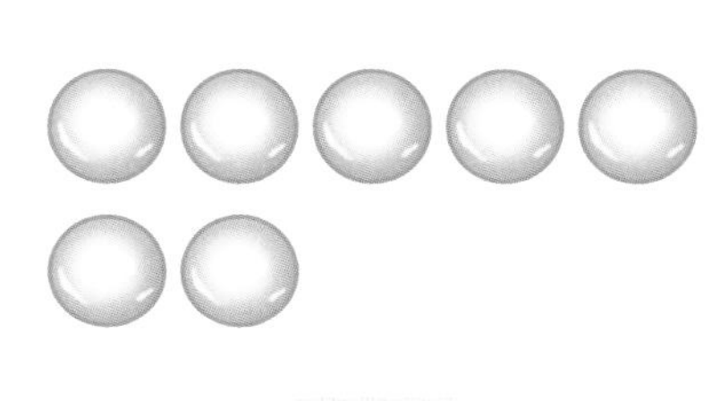
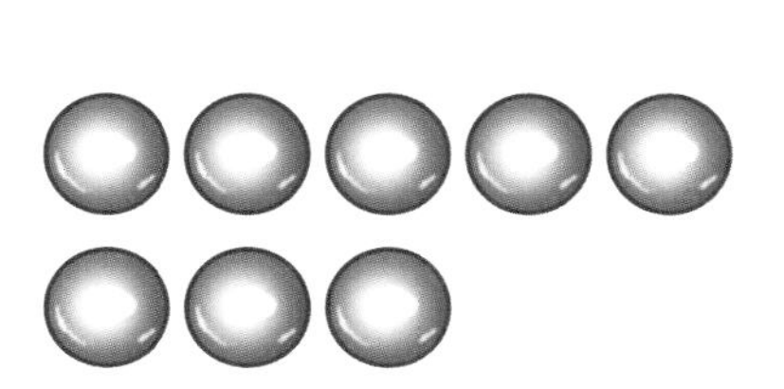
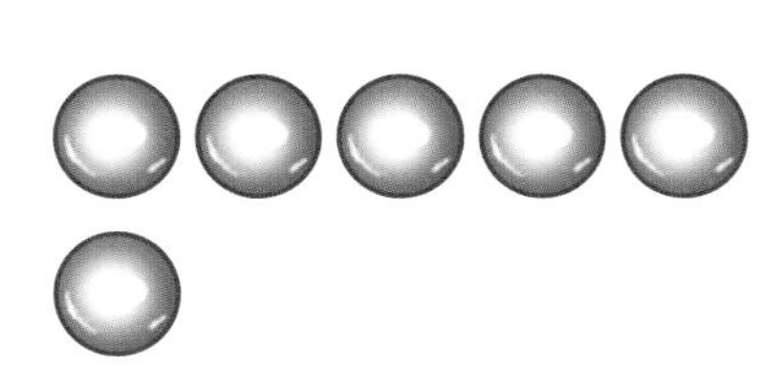
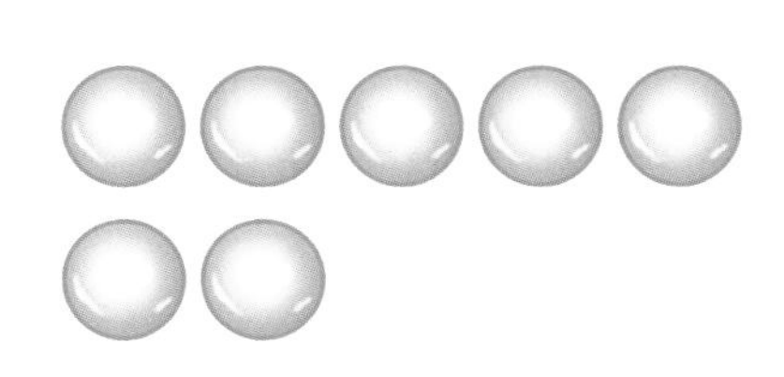
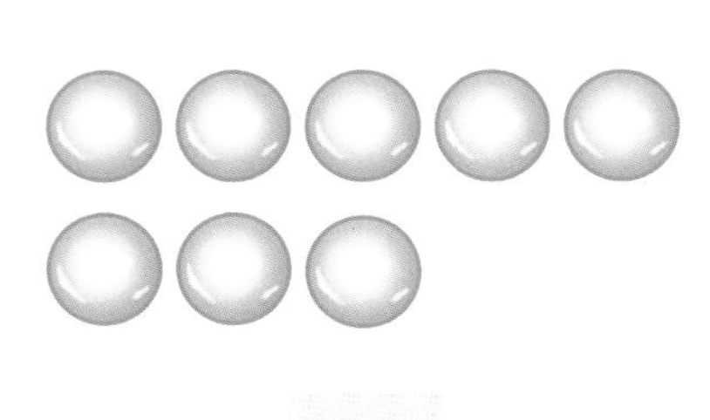
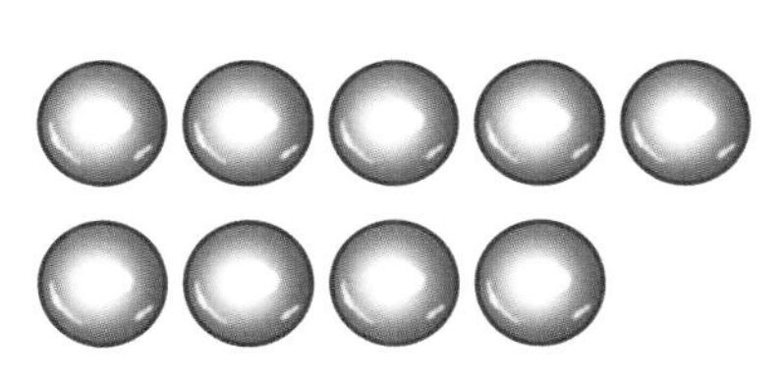

오늘은 얼마나 잘했을까요?
칭찬 붙임 딱지를
붙여 주세요!

수의 순서

책을 순서대로 빈 책장에 꽂아 보시오.

준비물 ▸ 붙임 딱지

수의 순서에 맞게 ◯ 안에 알맞은 수를 써넣으시오.

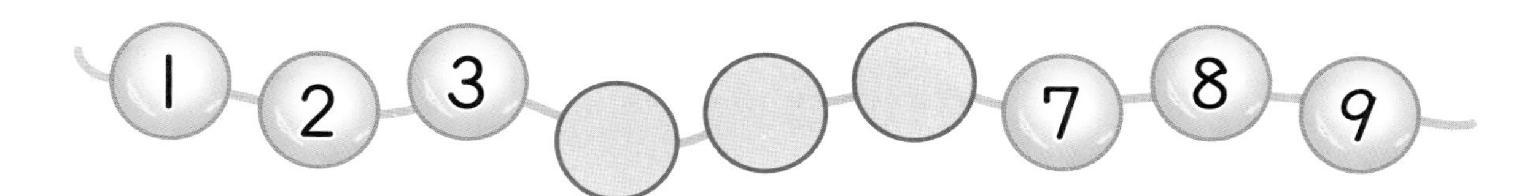

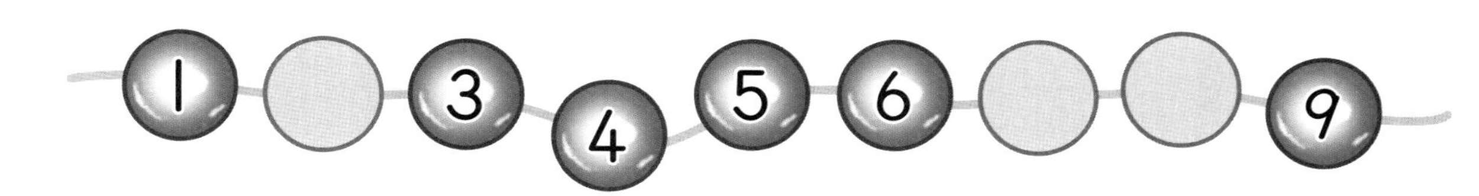

1
P01

수의 순서에 맞게 ▢ 안에 알맞은 수를 써넣으시오.

1	2	3	4	5	6	7	8	9

1	2	3	4

5	6		8	9

1	2	3	4		6

7	8	

1	2		4	5

6	7		9

1	2	3	

5		7	8	9

1	2	3	4		6	7		9

	2	3	4	5		7	8	9

1	2		4	5	6		8	9

1	2	3		5	6	7	8	

1		3	4	5	6	7		9

수의 순서에 맞게 ▢ 안에 알맞은 수를 써넣으시오.

2	3	4	

4	5		7

1		3	4

4	5	6	

2	3		5

	4	5	6

6	7	8	

2		4	5

5	6	7	

3		5	6

	7	8	9

5	6	7	

6		8	9

	2	3	4

5	6		8

3	4		6

	5	6	7

6	7	8	

1	2		4

	3	4	5

	6	7	8

6	7		9

3	4	5	

4	5	6	

오늘은 얼마나 잘했을까요?
칭찬 붙임 딱지를
붙여 주세요!

1 큰 수, 1 작은 수

나뭇잎을 붙이며 □ 안에 알맞은 수를 써넣으시오.

준비물 ▸ 붙임 딱지

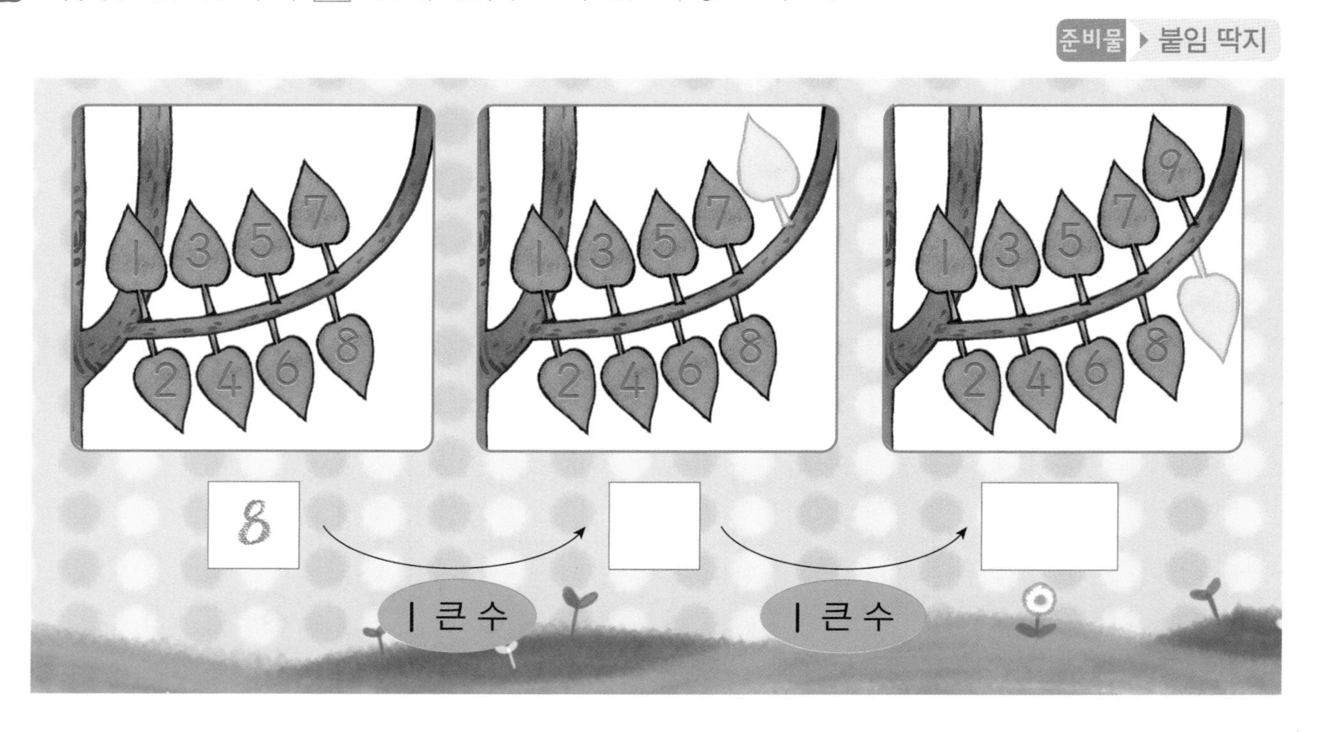

●를 지우거나 ○를 색칠하여 ▢ 안에 알맞은 수를 써넣으시오.

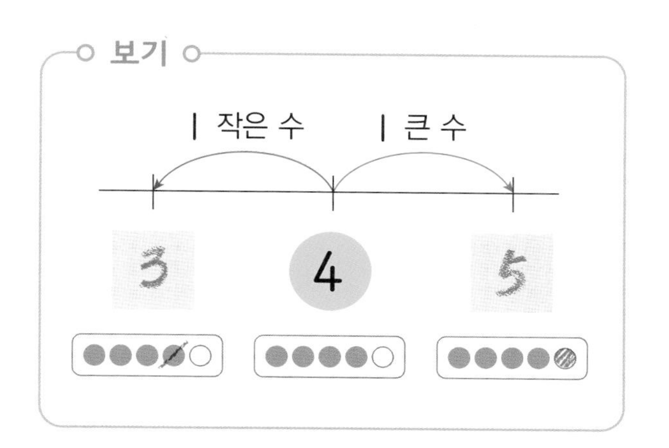

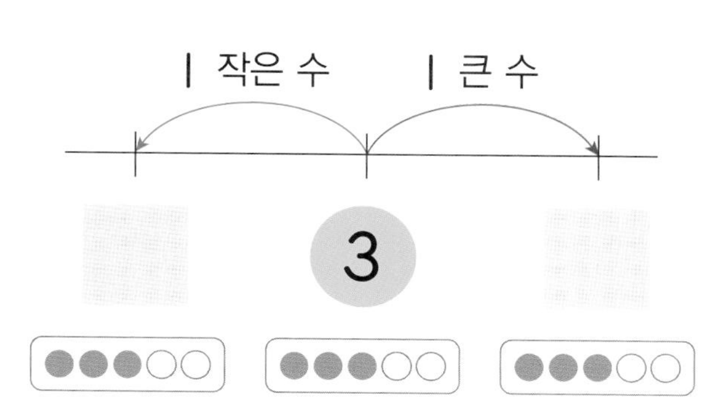

1
P01

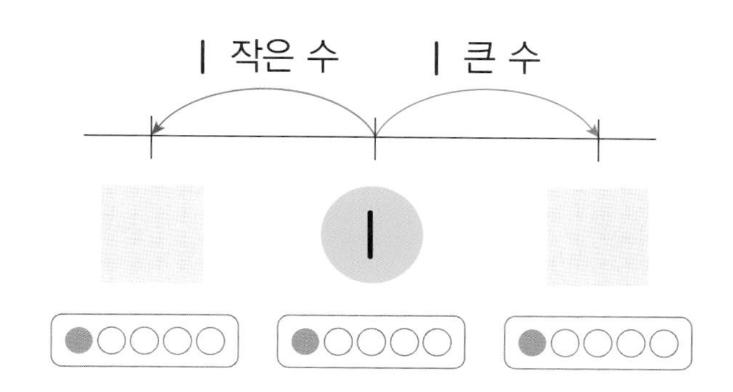

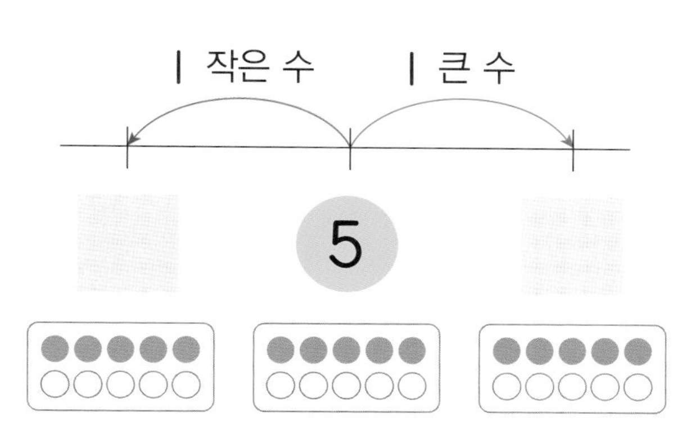

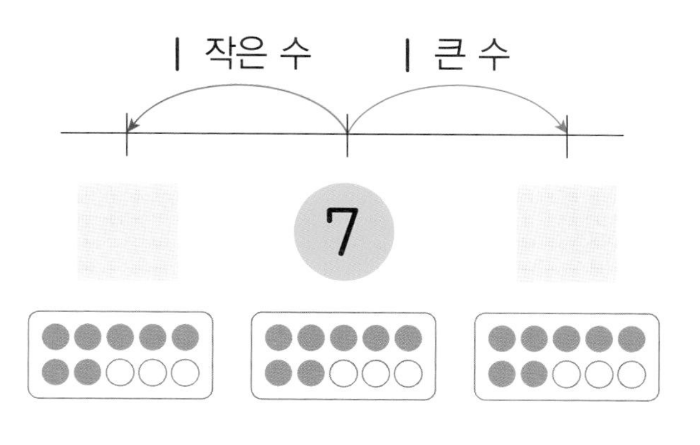

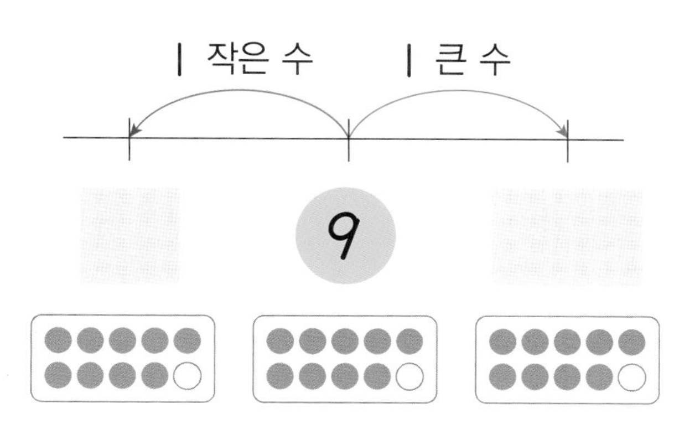

안에 알맞은 수를 써넣으시오.

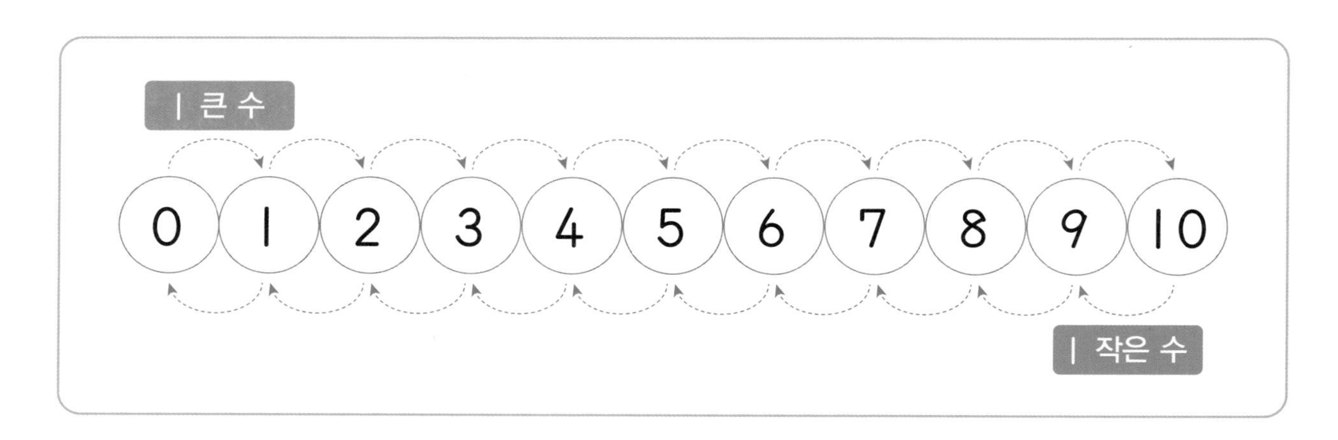

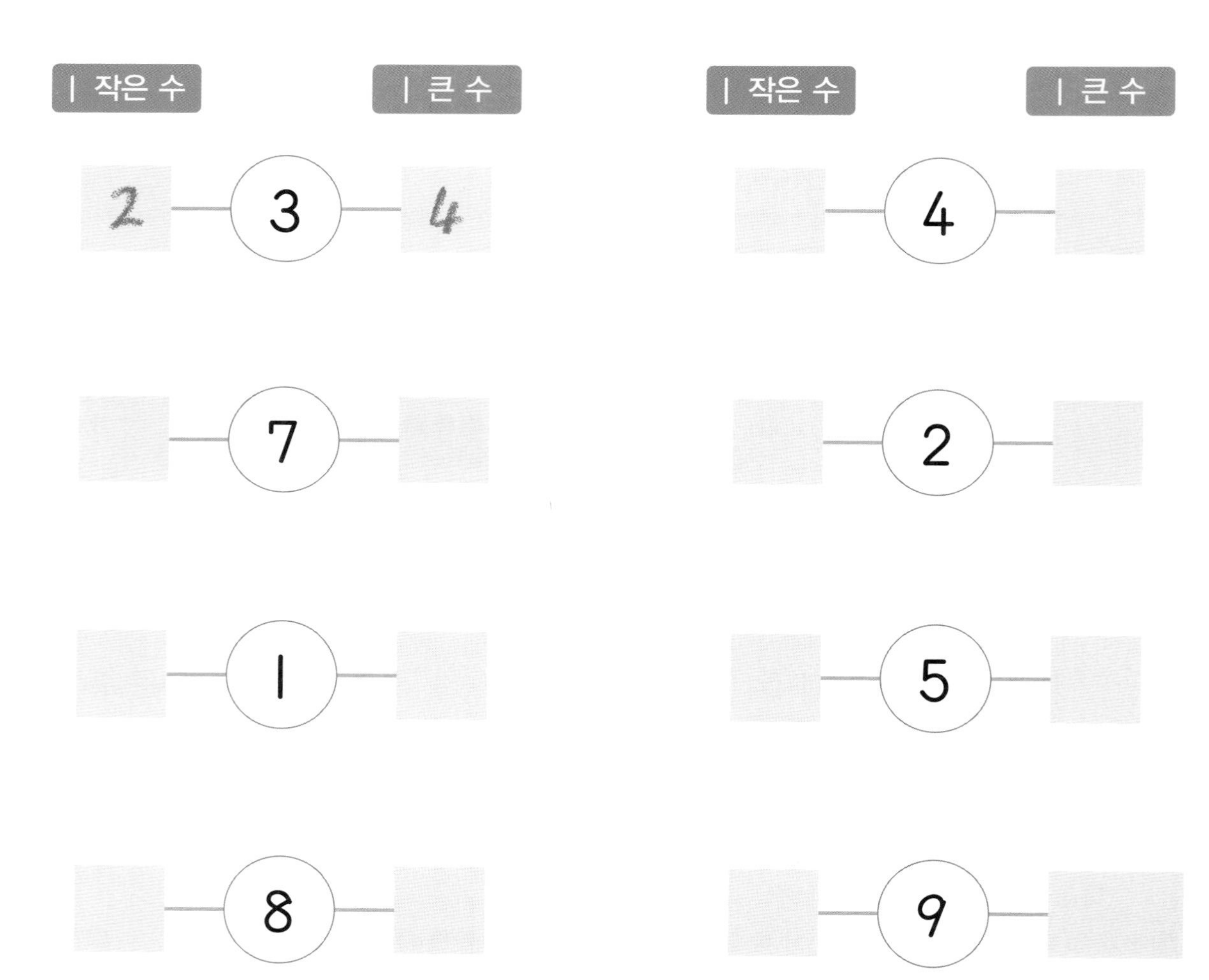

작은 수		큰 수

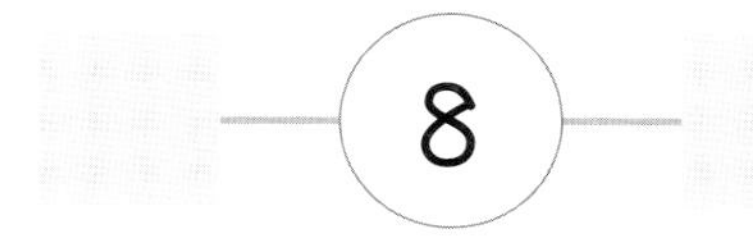

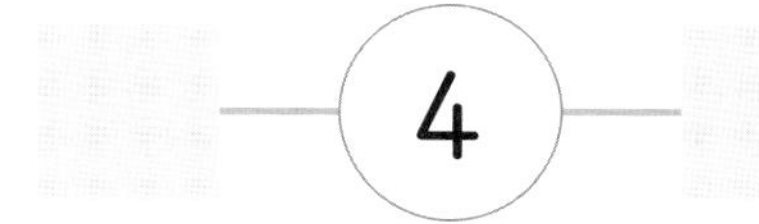

6

작은 수		큰 수

5

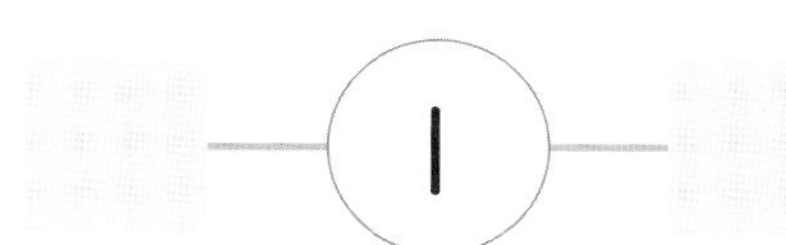

7

9

□ 안에 알맞은 수를 써넣으시오.

1 작은 수		1 큰 수

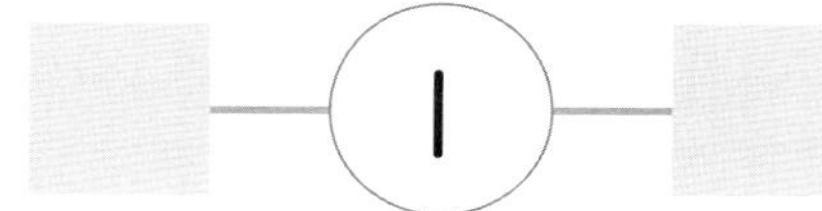

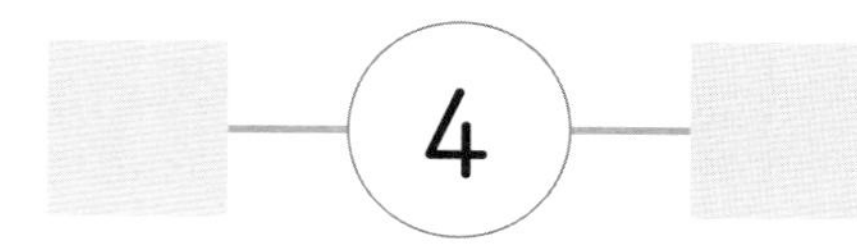

1 작은 수		1 큰 수
□	4	□
□	3	□
□	8	□
□	6	□

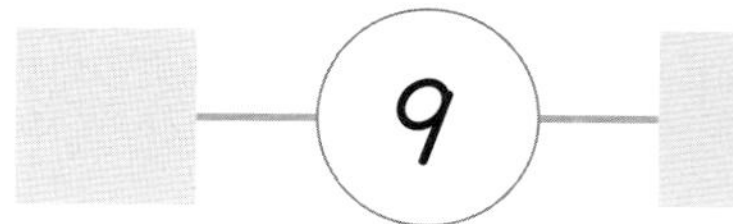

1 작은 수 | 1 큰 수 | 1 작은 수 | 1 큰 수

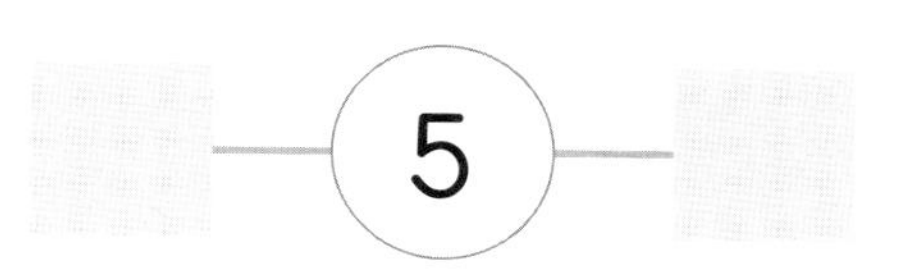
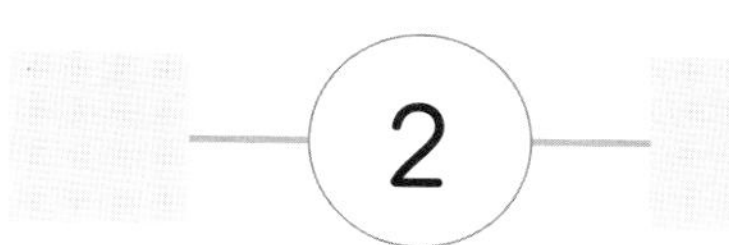

□ — 5 — □   □ — 2 — □

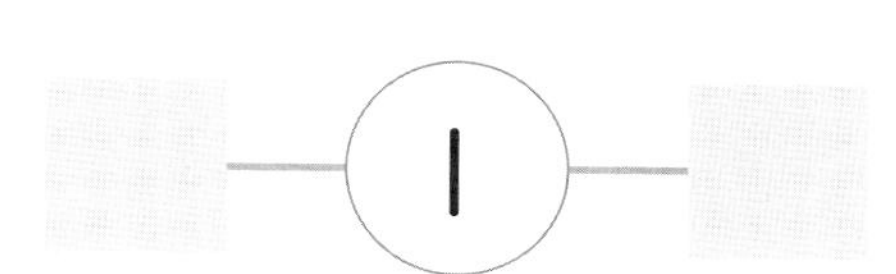

□ — 1 — □   □ — 7 — □

□ — 6 — □   □ — 3 — □

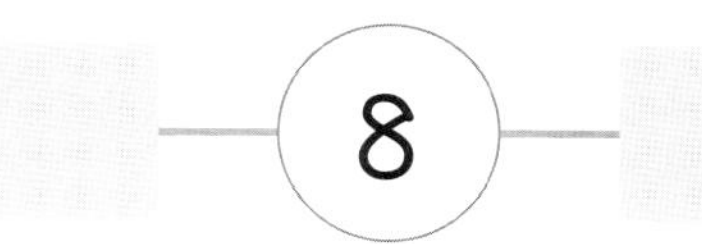

□ — 8 — □   □ — 5 — □

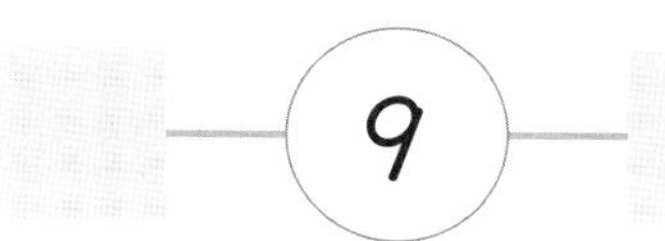

□ — 4 — □   □ — 9 — □

두 수의 크기 비교

새알의 개수를 세어 보고 새알이 더 많은 쪽으로 여우의 얼굴을 붙이시오.

준비물 ▸ 붙임 딱지

두 수의 크기를 비교하여 ○ 안에 >, <를 알맞게 써넣으시오.

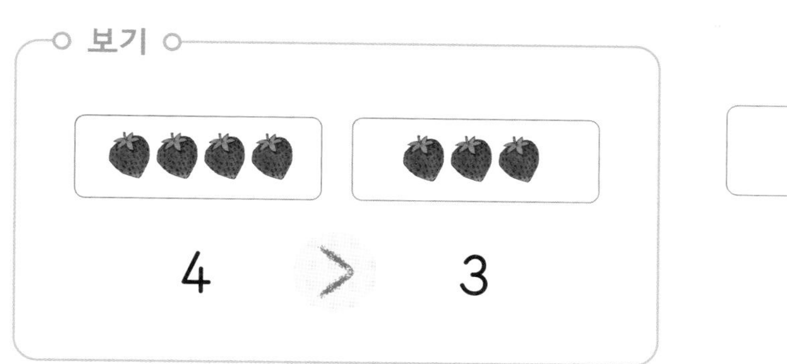

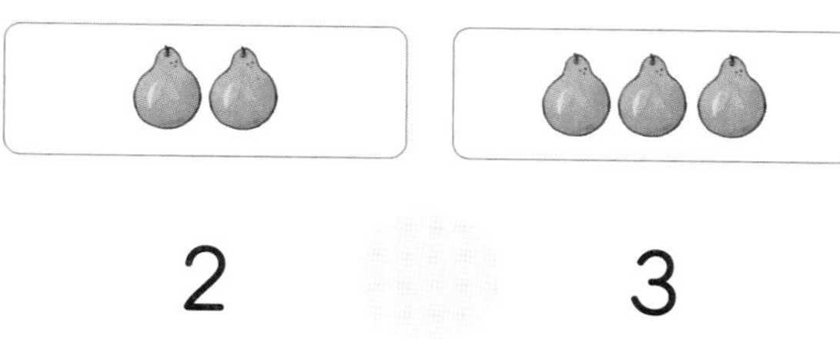

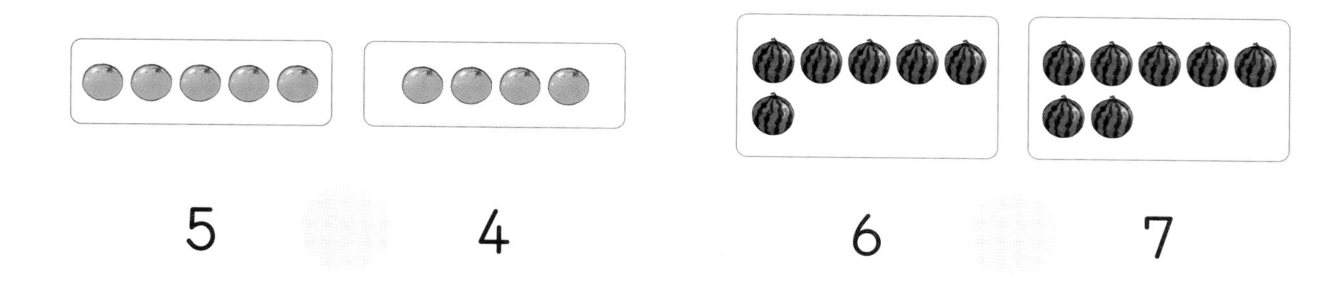

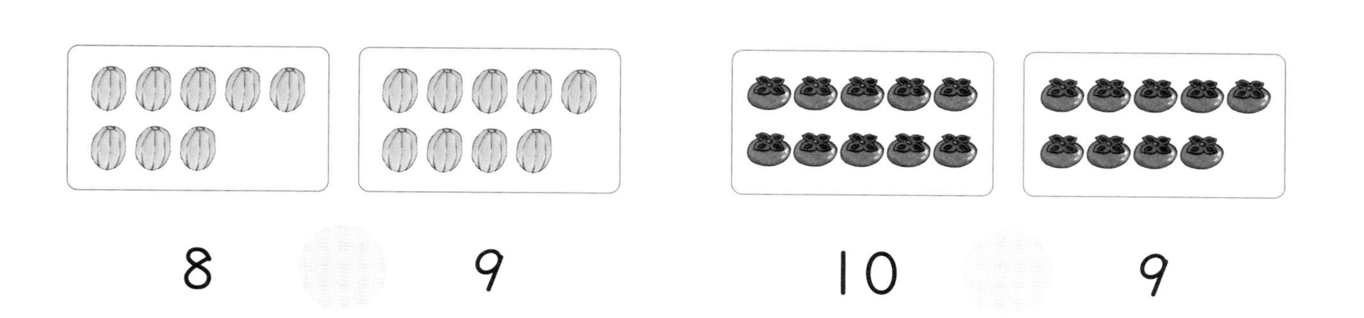

두 수의 크기를 비교하여 ○ 안에 >, <를 알맞게 써넣으시오.

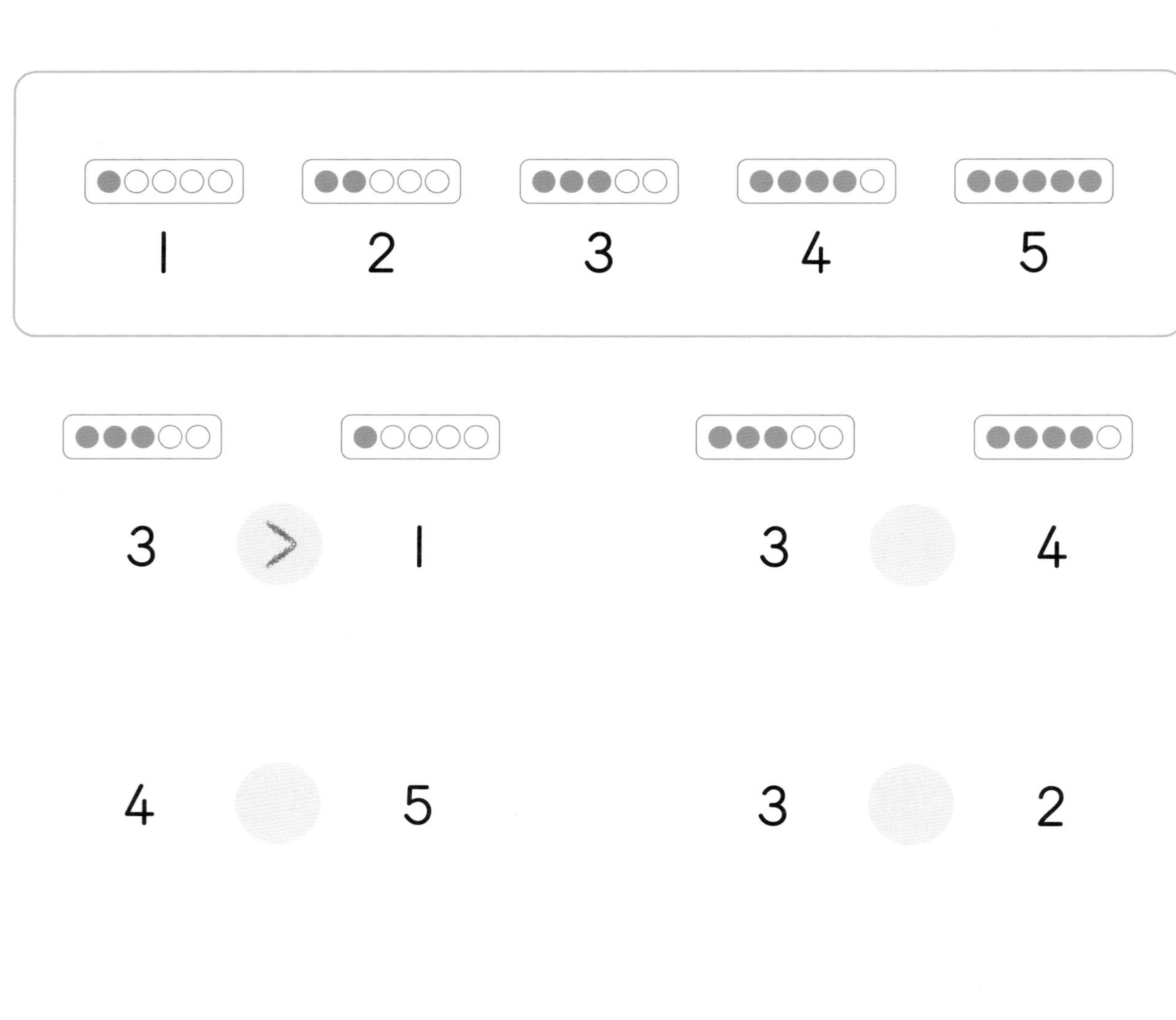

3 ○ 1 (>)

3 ○ 4

4 ○ 5

3 ○ 2

5 ○ 3

1 ○ 2

2 ○ 4

4 ○ 3

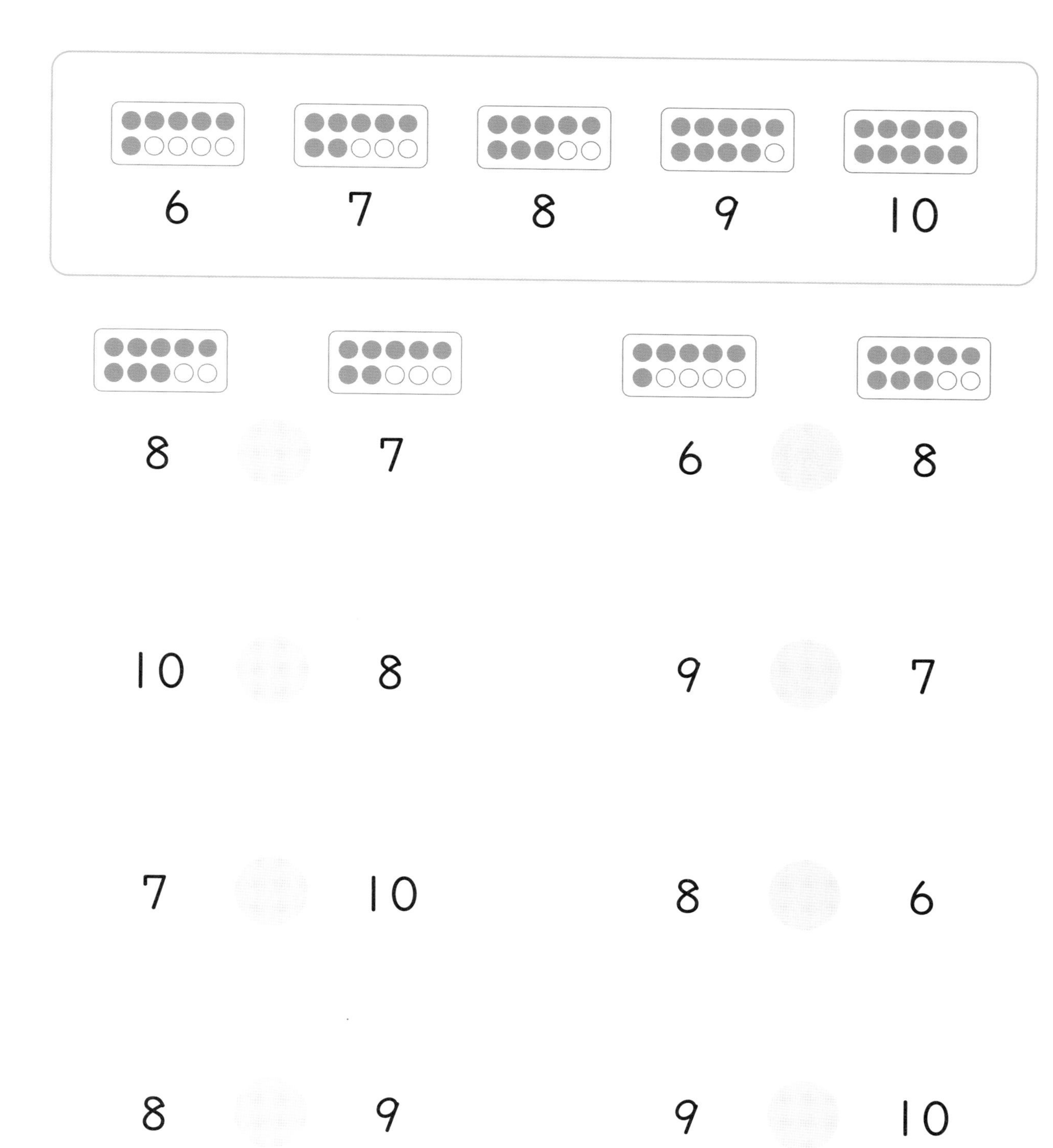
6
7
8
9
10
8 7
6 8
10 8
9 7
7 10
8 6
8 9
9 10

두 수의 크기를 비교하여 ○ 안에 >, <를 알맞게 써넣으시오.

2 ○ 3　　　4 ○ 3

5 ○ 2　　　0 ○ 1

9 ○ 10　　　7 ○ 8

6 ○ 4　　　6 ○ 5

8 ○ 9　　　8  10

10 ○ 9　　　9  6

3	5		8	6
4	8		6	7
8	7		2	6
7	9		3	1
9	8		7	8
5	7		9	10

연산 실력 체크

정답 수	/ 40개
날 짜	월 일

2~4주 사고력 연산을 학습하기 전에 기본 연산 실력을 점검해 보세요.

개수를 세어 보시오.

1.

2.

3.

4.

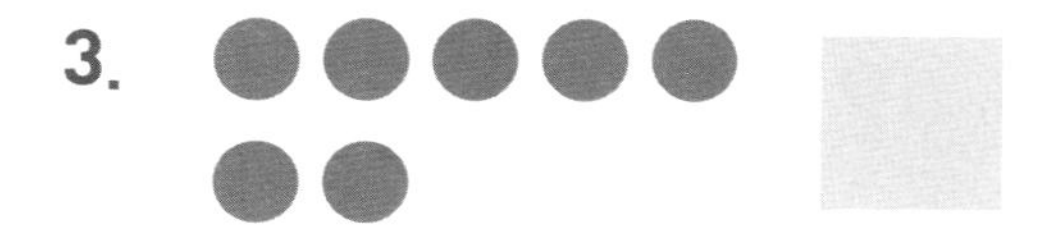

5.

6.

7.

8.

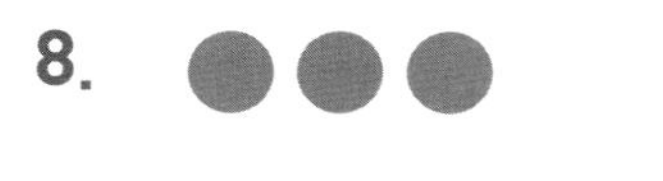

9.

10.

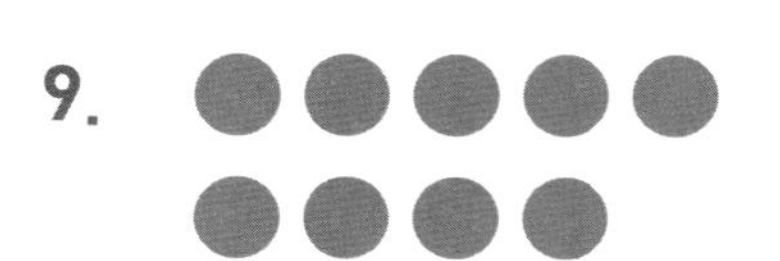

11.

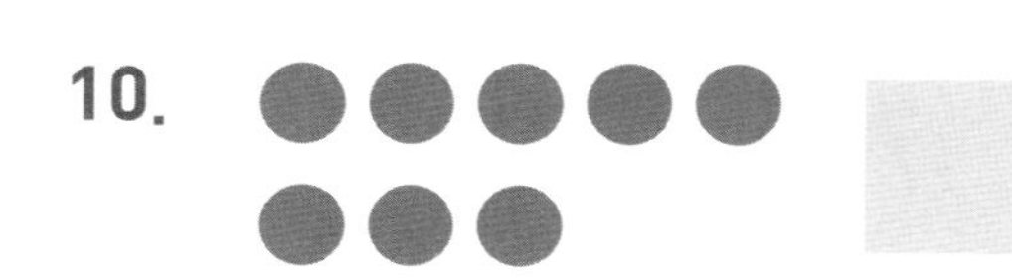

12.

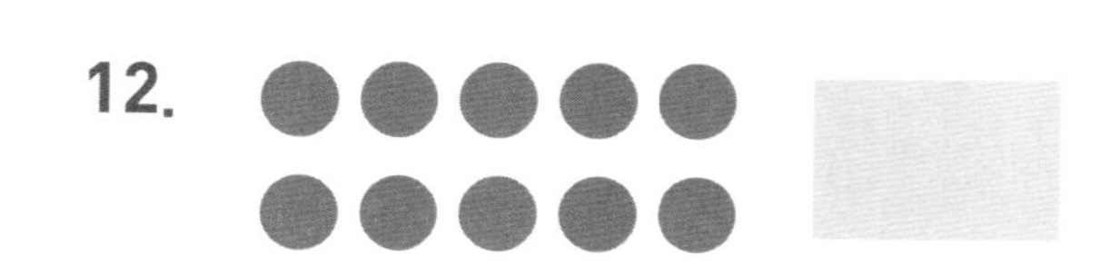

□ 안에 알맞은 수를 써넣으시오.

13.

1	2	3	□

14.

4	5	□	7

15.

6	□	8	9

16.

2	□	4	5

17.

□	2	3	4

18.

5	6	7	□

19.

3	4	□	6

20.

1	□	3	4

21.

6	7	8	□

22.

□	6	7	8

23.

4	5	6	□

24.

□	7	8	9

■ 안에 알맞은 수를 써넣으시오.

25.

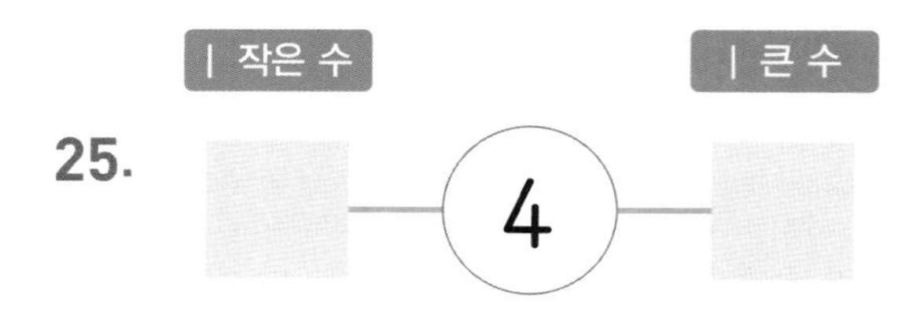

26. □ — 1 — □

27. □ — 8 — □

28. □ — 6 — □

29. □ — 5 — □

30. □ — 9 — □

● 안에 >, <를 알맞게 써넣으시오.

31. 2 ○ 1

32. 5 ○ 7

33. 3 ○ 4

34. 7 ○ 6

35. 9 ○ 8

36. 4 ○ 6

37. 10 ◯ 1

38. 7 ◯ 8

39. 4 ◯ 2

40. 8 ◯ 10

연산 실력 분석

오답 수에 맞게 학습을 진행하시기 바랍니다.

평가	오답 수	학습 방법
최고예요	0 ~ 2개	전반적으로 학습 내용에 대해 정확히 이해하고 있으며 매우 우수합니다. 기본 연산 문제를 자신 있게 풀 수 있는 실력을 갖추었으므로 이제는 사고력을 향상시킬 차례입니다. 2주차부터 차근차근 학습을 진행해 보세요. 학습 [2주차] → [3주차] → [4주차]
잘했어요	3 ~ 4개	기본 연산 문제를 전반적으로 잘 이해하고 풀었지만 약간의 실수가 있는 것 같습니다. 틀린 문제를 다시 한 번 풀어 보고, 문제를 차근차근 푸는 습관을 갖도록 노력해 보세요. 매스티안 홈페이지에서 제공하는 보충 학습으로 연산 실력을 향상시킨 후 2, 3, 4주차 학습을 진행해 주세요. 학습 [틀린 문제 복습] → [보충 학습] → [2주차] → …
노력해요	5개 이상	개념을 정확하게 이해하고 있지 않아 연산을 하는데 어려움이 있습니다. 개념을 이해하고 연산 문제를 반복해서 연습해 보세요. 매스티안 홈페이지에서 제공하는 보충 학습이 연산 실력을 향상시키는데 도움이 될 것입니다. 여러분도 곧 연산왕이 될 수 있습니다. 조금만 힘을 내 주세요. 학습 [1주차 원리 중심 복습] → [보충 학습] → [2주차] → …

매스티안 홈페이지 : www.mathtian.com

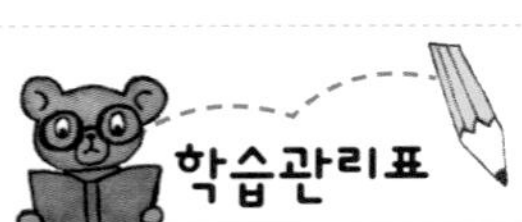

일 자			소요 시간	틀린 문항 수	확인
❶ 일차	월	일	:		
❷ 일차	월	일	:		
❸ 일차	월	일	:		
❹ 일차	월	일	:		
❺ 일차	월	일	:		

2 주

개수 세기

안에 알맞은 수를 써넣으시오.

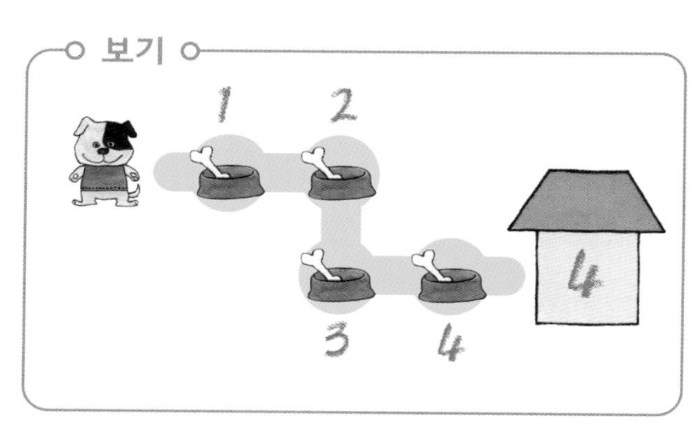

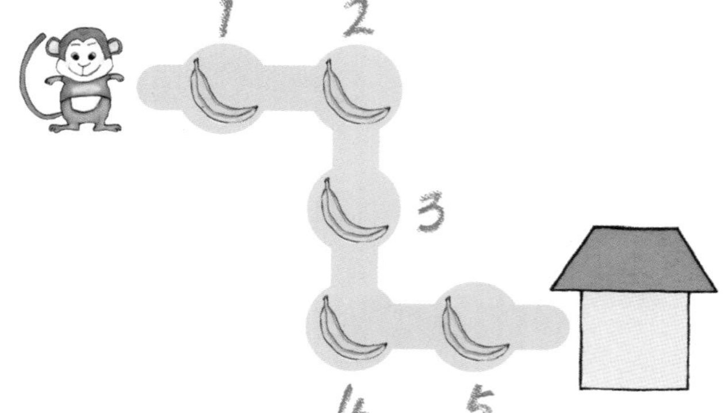

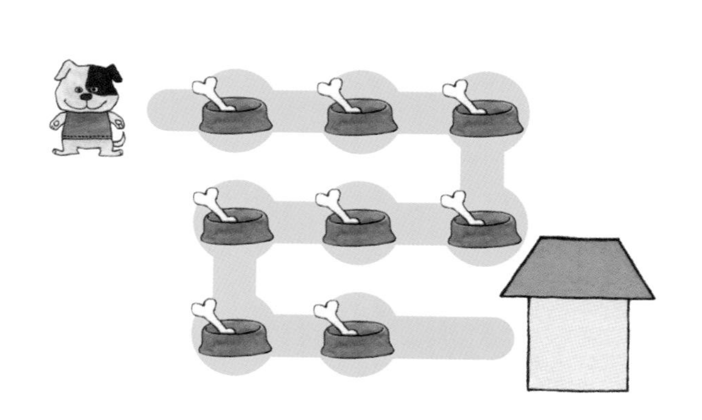

먹이의 개수를 각각 세어 ▢ 안에 알맞은 수를 써넣으시오.

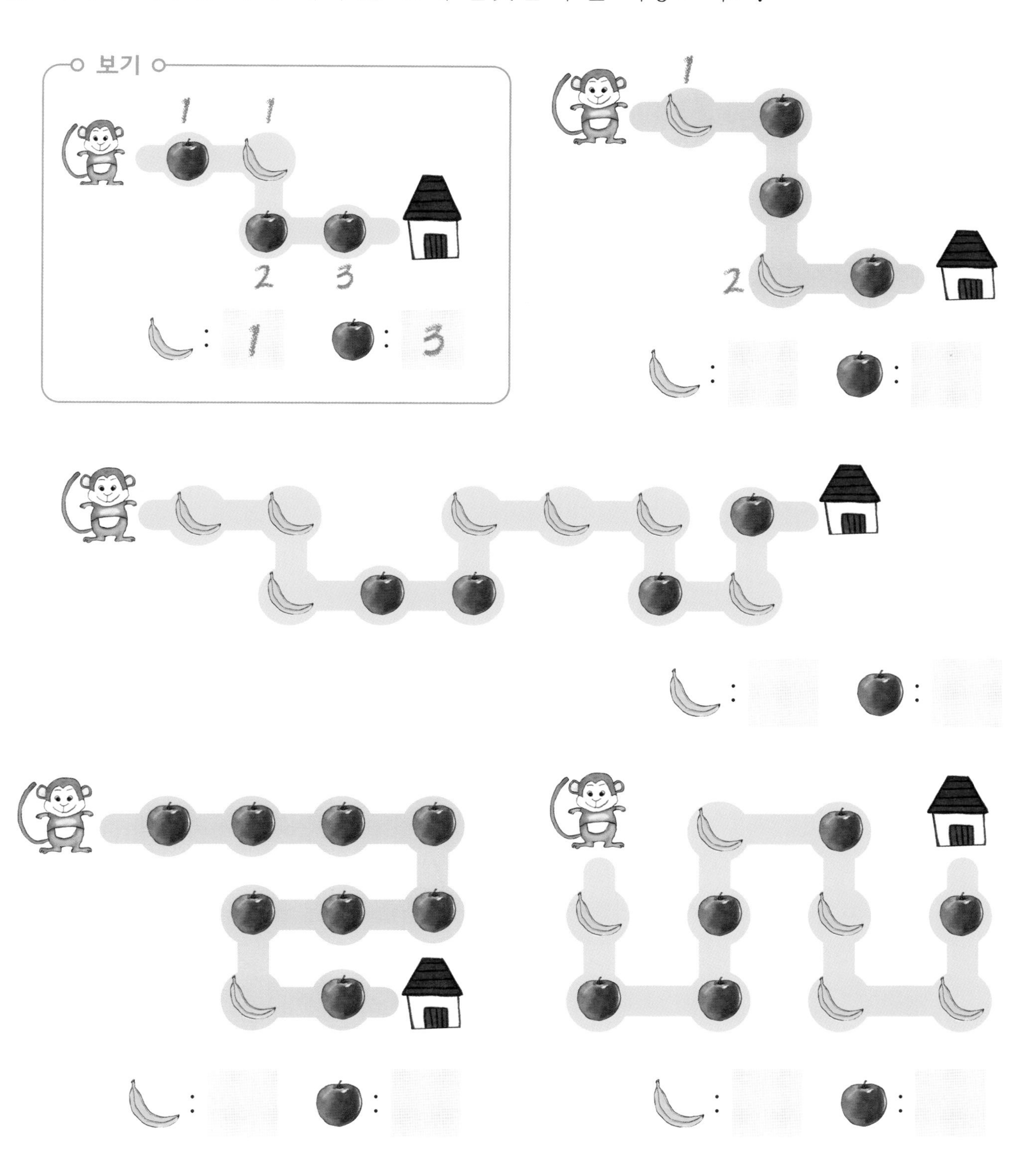

2
P01

안에 알맞은 개수의 붙임 딱지를 붙여 보시오.

준비물 ▸ 붙임 딱지

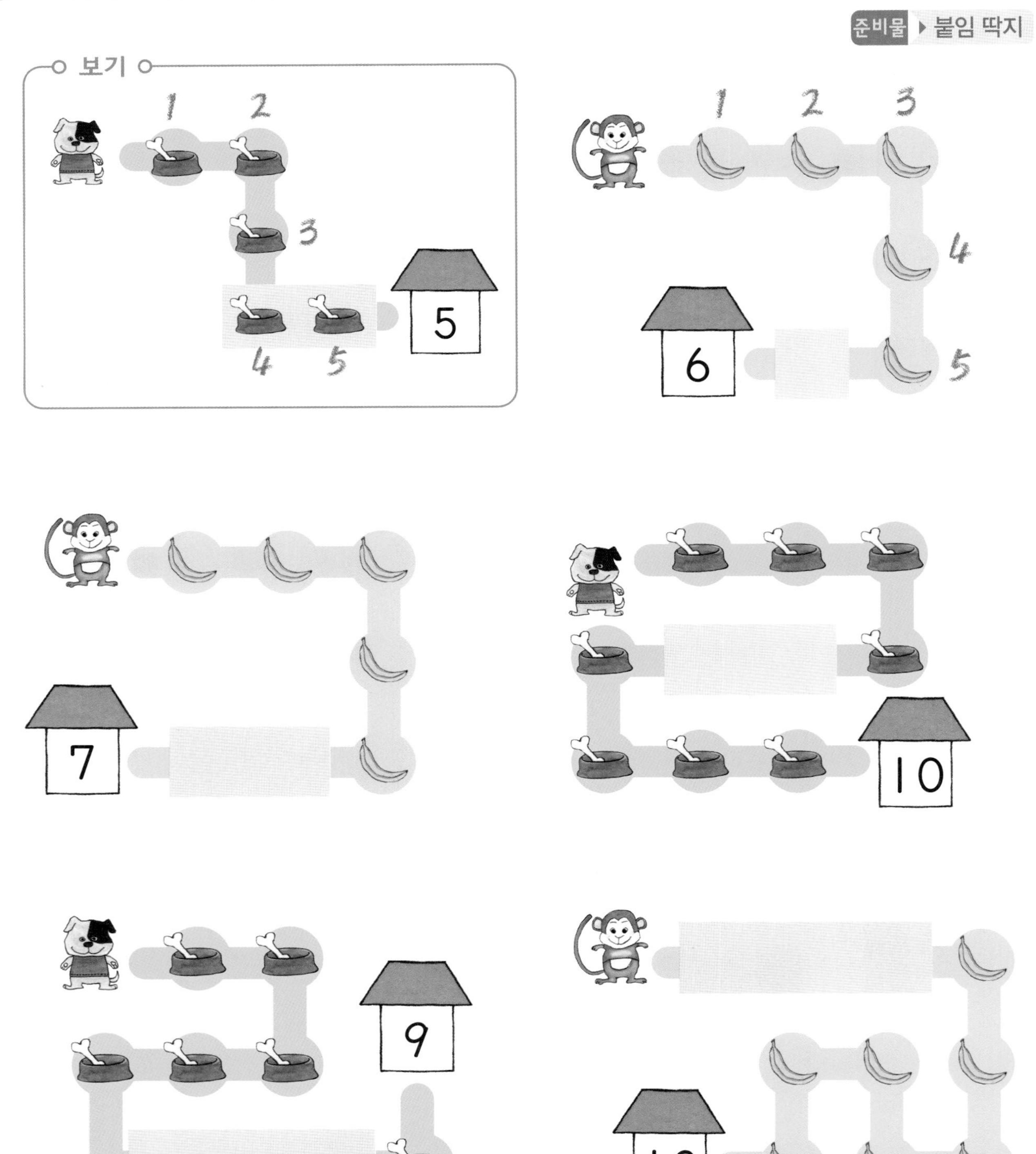

안에 알맞은 수를 써넣으시오.

 :   : 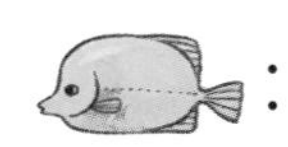 :  :

 :   :   : 

2
일차

숨은 숫자 찾기

겹쳐진 숫자를 모두 찾아 써 보시오.

보기

그림에 있는 숫자를 모두 찾아 빈 곳에 써넣으시오.

숫자의 일부분을 보고 어떤 숫자인지 ▢ 안에 써넣으시오.

0 1 2 3 4 5 6 7 8 9

0부터 9까지의 숫자를 모두 찾아 ○표 하시오.

2
P01

오늘은 얼마나 잘했을까요?
칭찬 붙임 딱지를 붙여 주세요!

기차 수

주어진 수를 작은 수부터 큰 수의 순서대로 기차 앞에서부터 써넣으시오.

보기

2
P01

주어진 수를 작은 수부터 큰 수의 순서대로 기차 앞에서부터 써넣으시오.

1에서부터 10까지의 수를 순서대로 이어 그림을 완성하시오.

4 일차 큰 수 찾기

더 큰 수 쪽으로 입이 벌어지도록 [ ] 또는 [ ]를 그려 넣으시오.

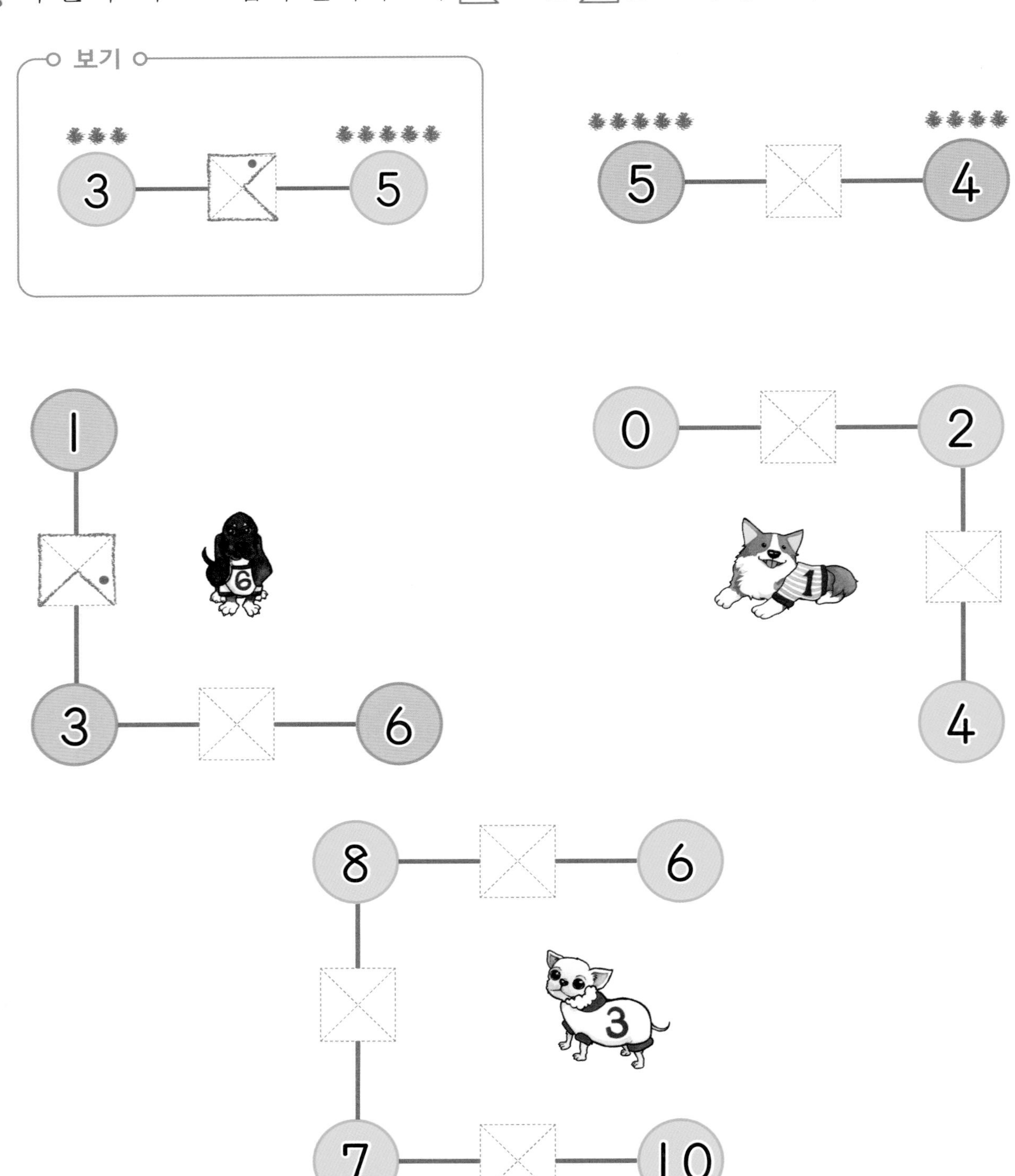

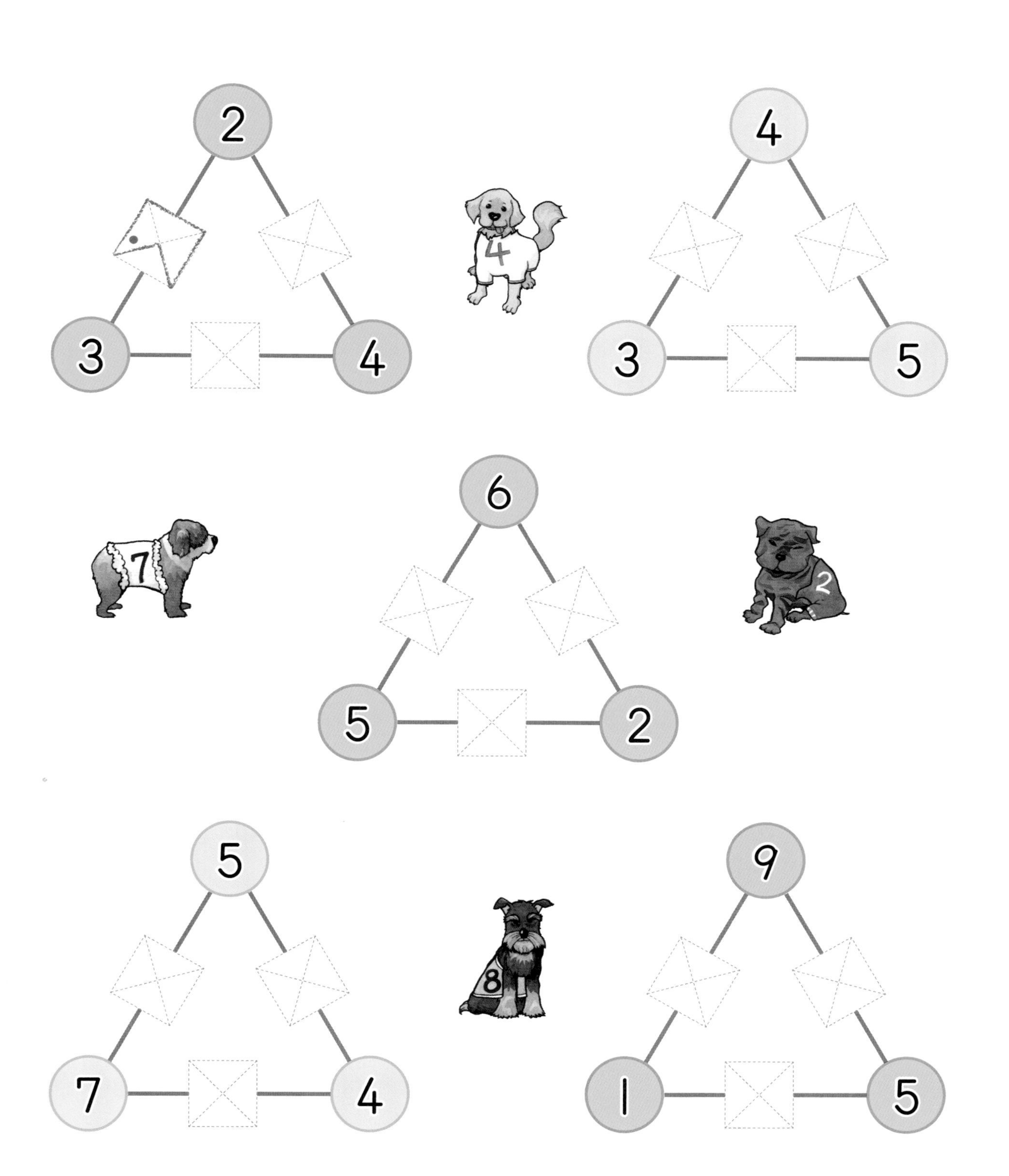
2
3
4
4
3
5
4
6
7
2
5
2
5
7
4
8
9
1
5

모양의 입이 더 큰 수 쪽으로 벌어지도록 ◯ 안에 알맞게 수를 써넣으시오.

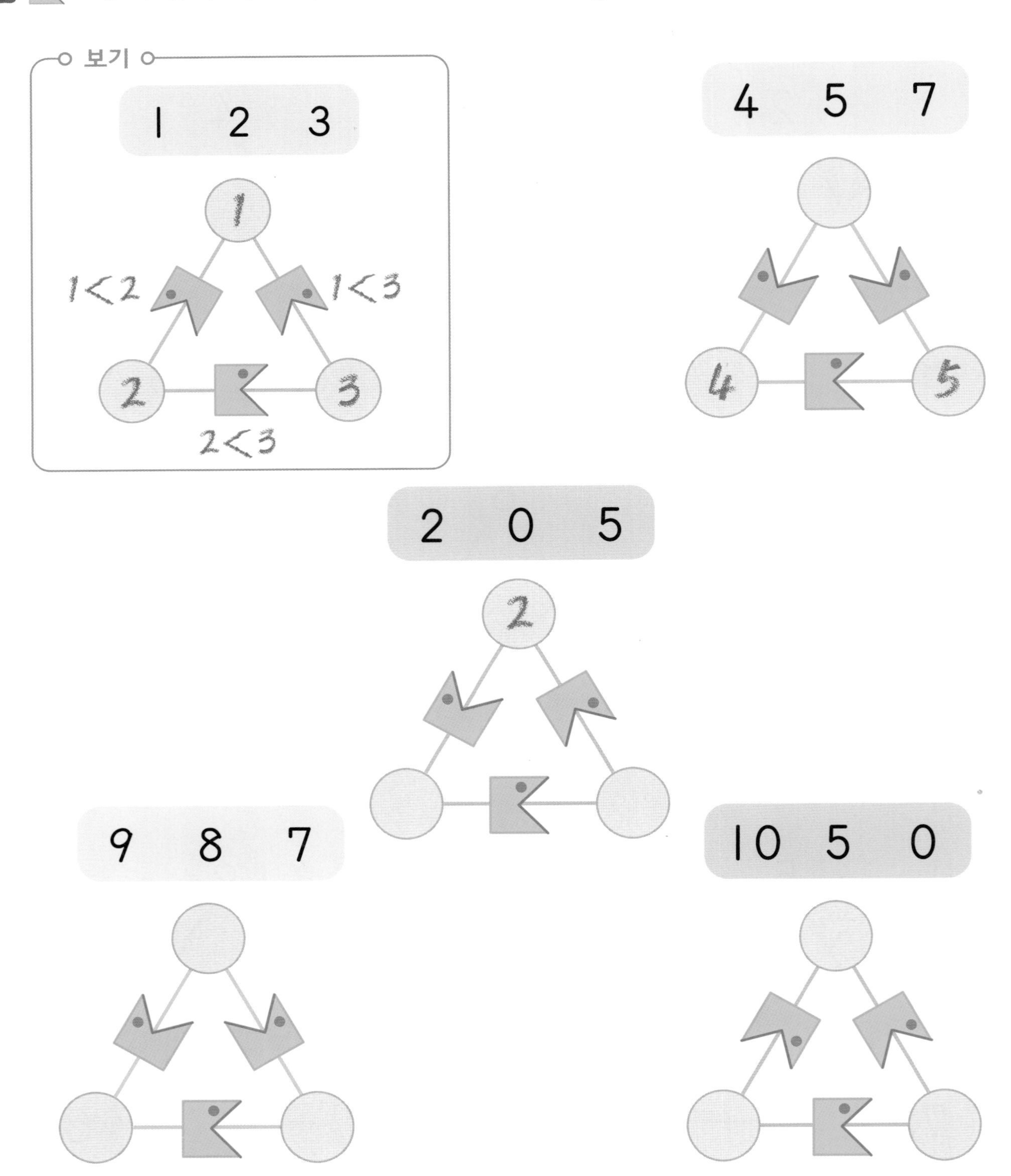

갈림길에서 더 큰 수를 따라 갈 때 도착하는 집을 찾아 ○표 하시오.

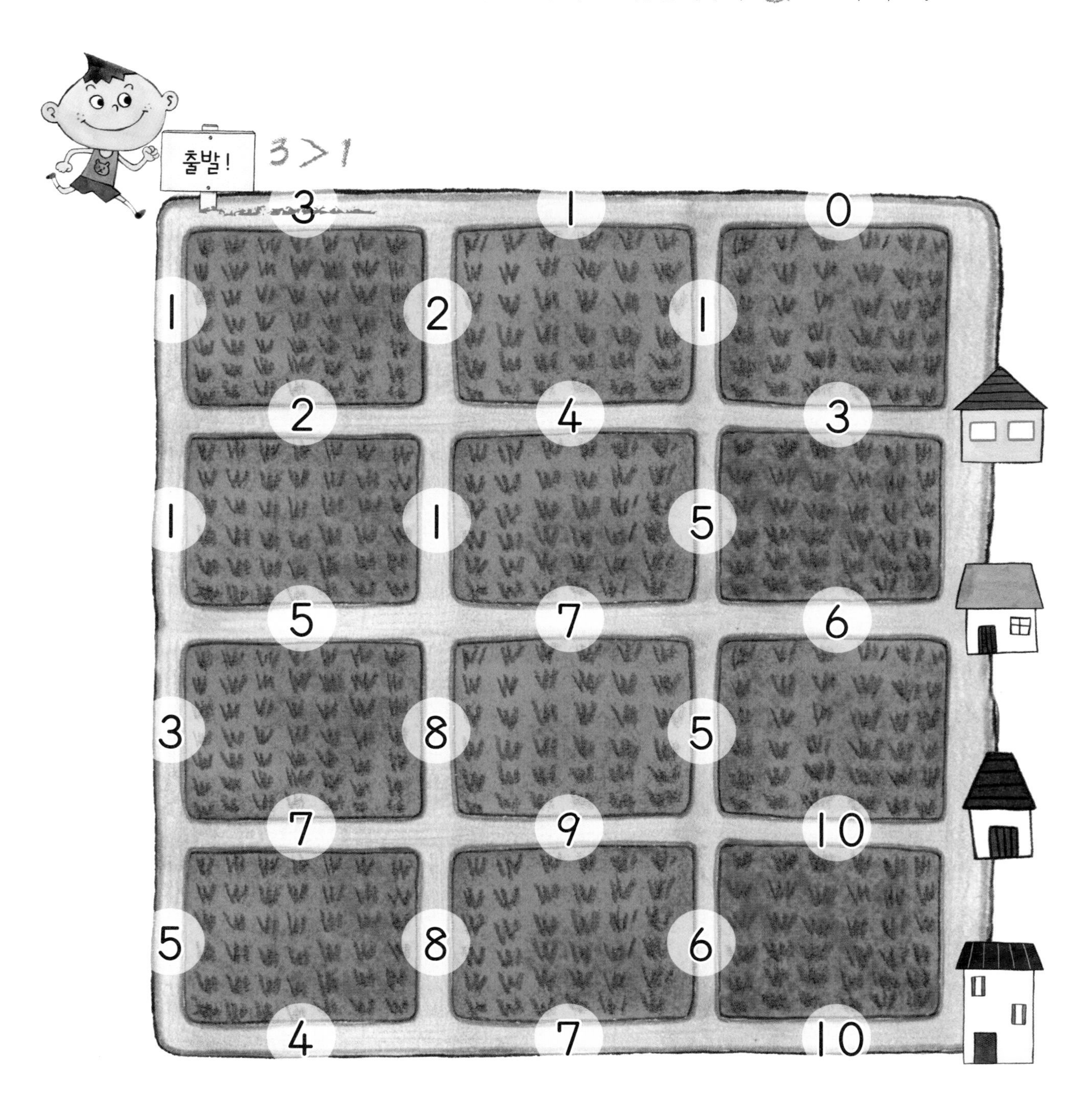

성냥개비 숫자

주어진 숫자를 성냥개비 숫자로 써 보시오.

온라인 활동지

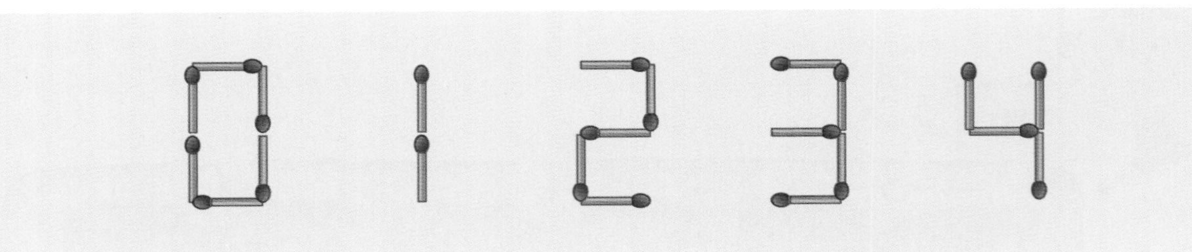

보기

0 →

1 →

2 →

3 →

4 →

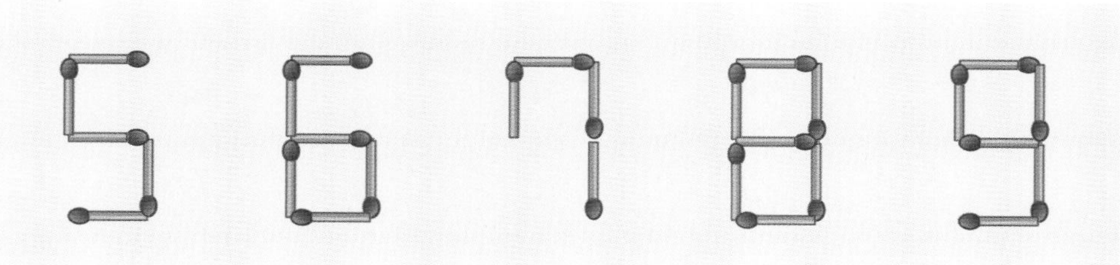

5 ➡

6 ➡

7 ➡

8 ➡

9 ➡

성냥개비 숫자를 만들 때 필요한 성냥개비의 개수를 ▢ 안에 써넣으시오.

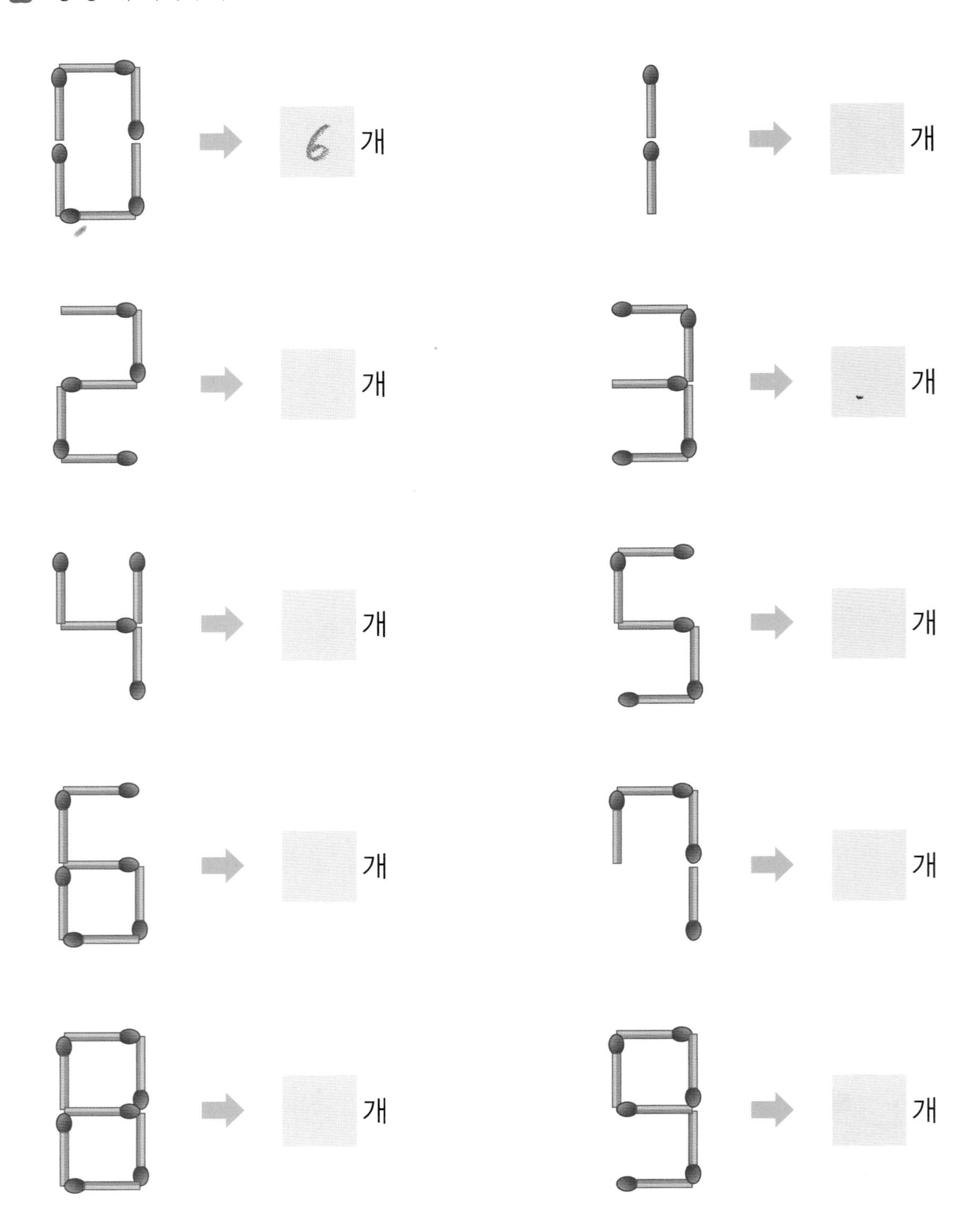

주어진 성냥개비로 서로 다른 수를 만들어 보시오.

온라인 활동지

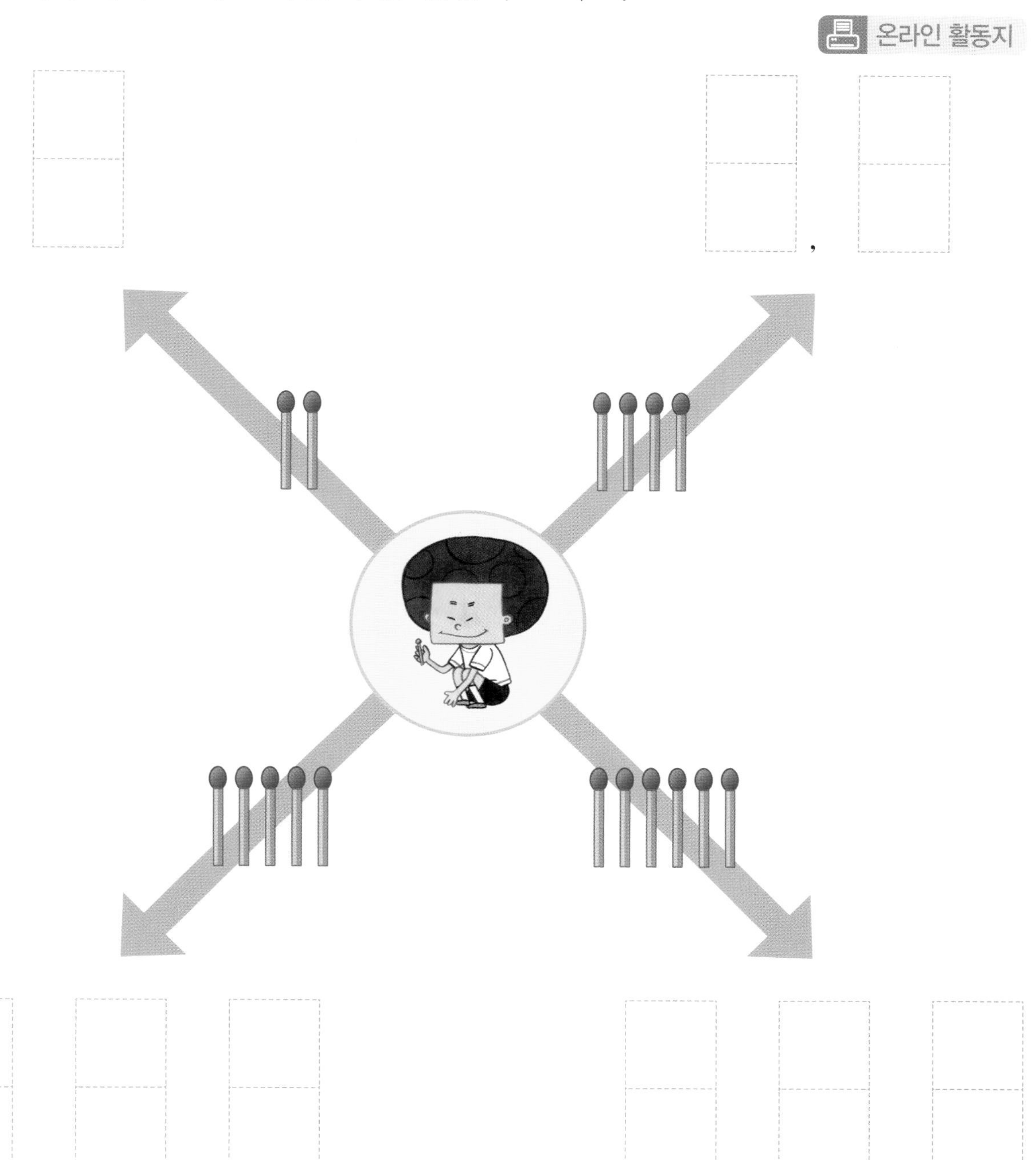

P01
10까지의 수

학습관리표

일 자			소요 시간	틀린 문항 수	확인
① 일차	월	일	:		
② 일차	월	일	:		
③ 일차	월	일	:		
④ 일차	월	일	:		
⑤ 일차	월	일	:		

3 주

미로 퍼즐

호랑이를 피해 모든 칸을 한 번씩만 지나도록 연결하시오.

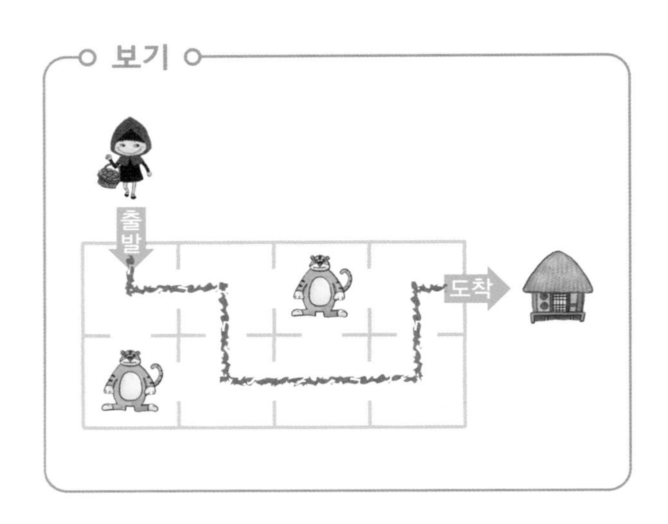

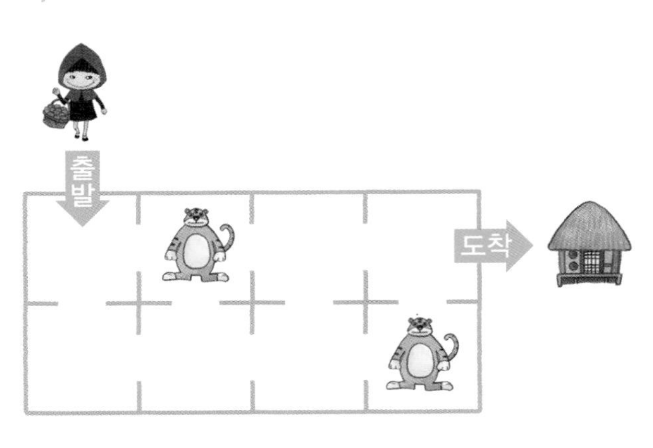

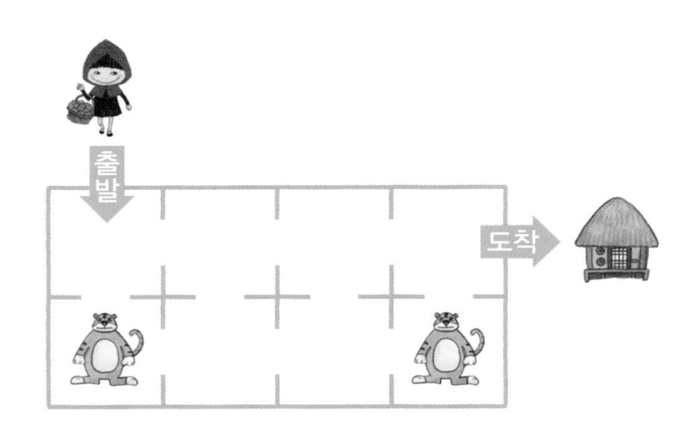

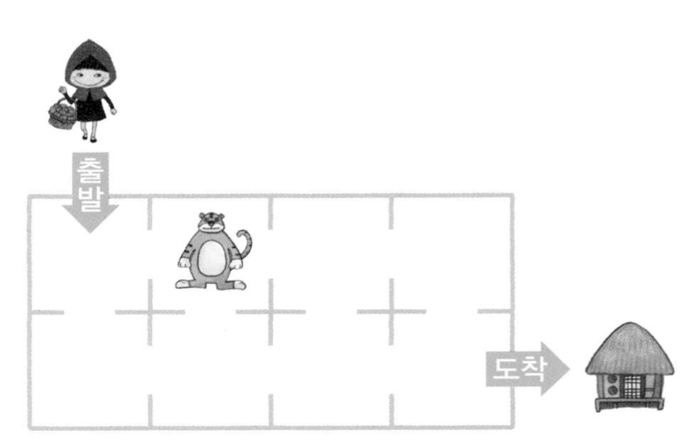

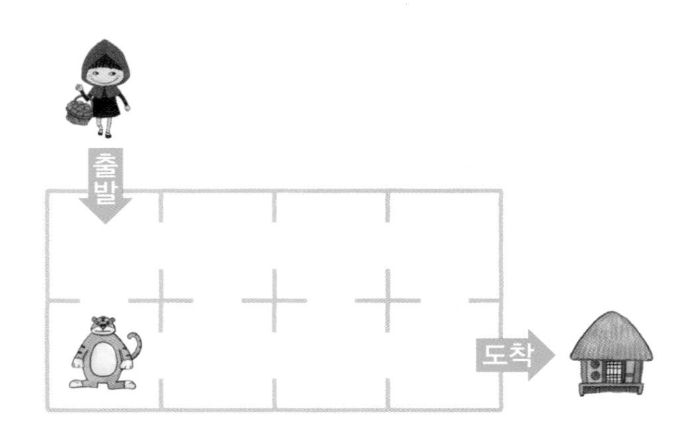

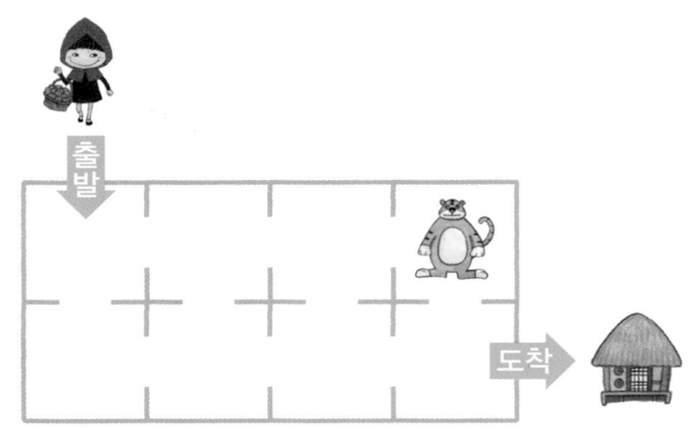

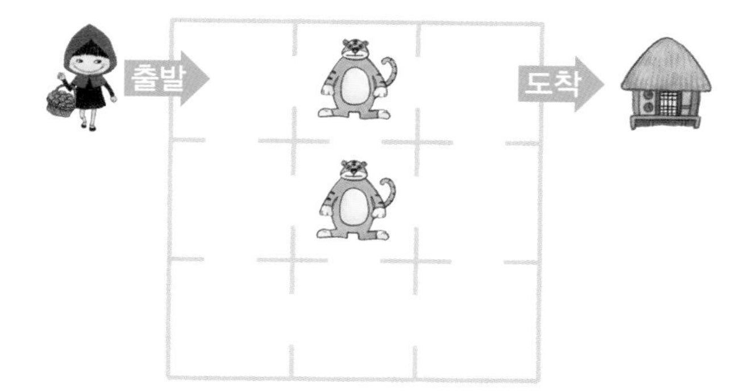
출발
도착

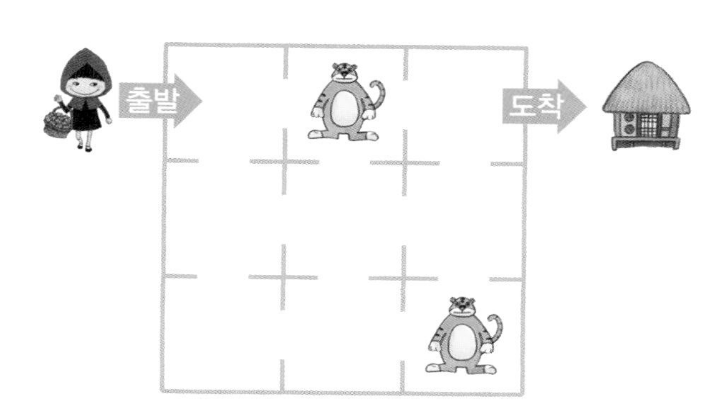
출발
도착

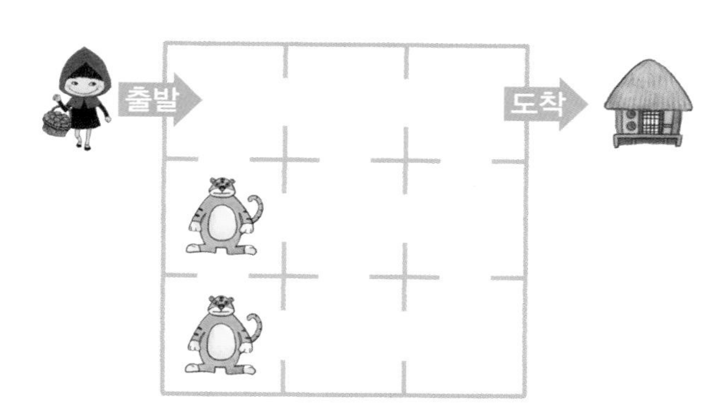
출발
도착

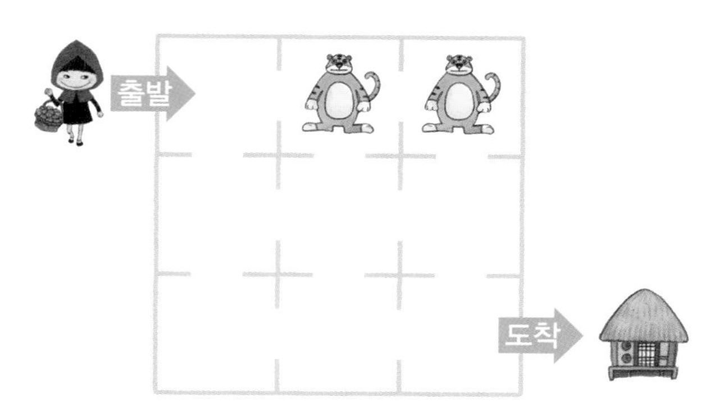
출발
도착

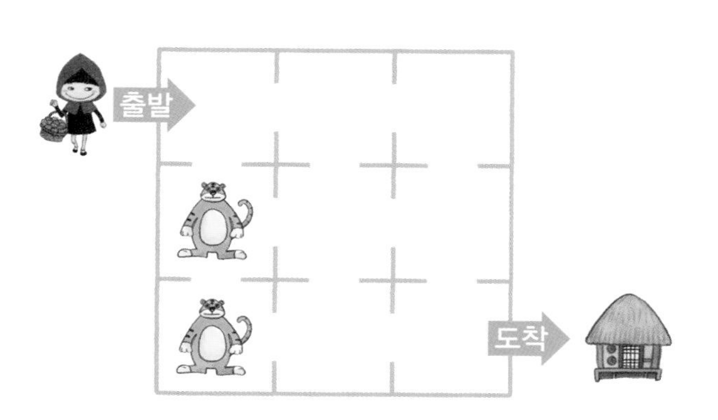
출발
도착

모든 칸을 한 번씩만 지나면서 수를 순서대로 연결하시오.

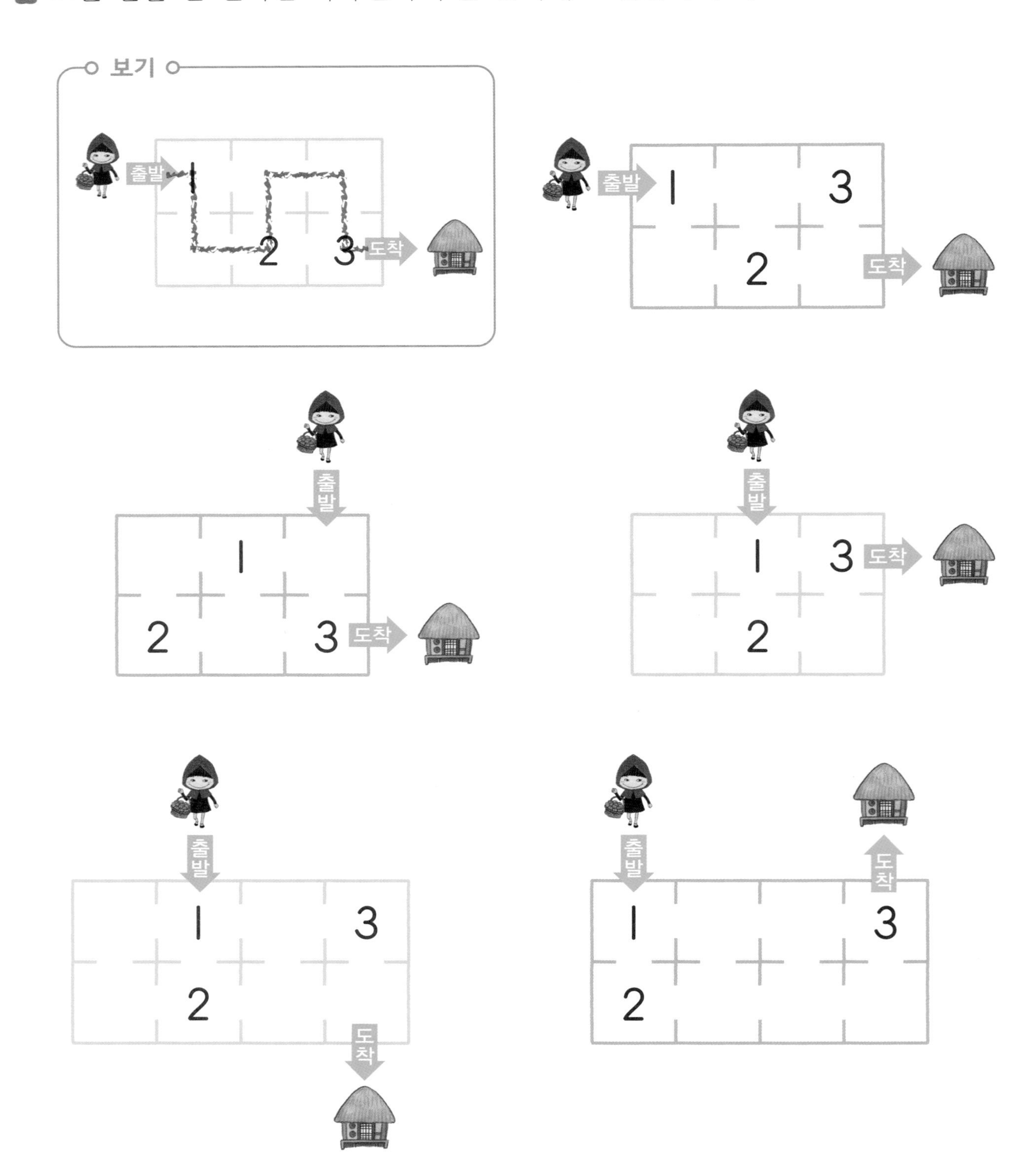

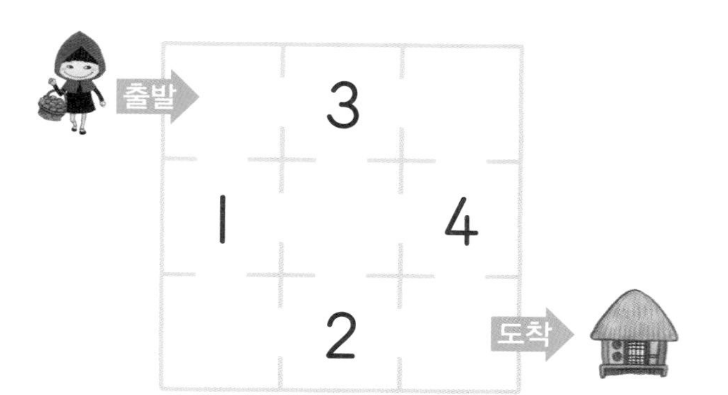

출발
3
1
4
2
도착

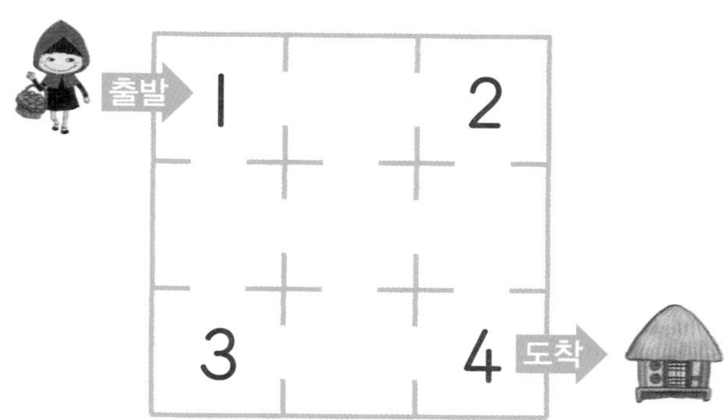

출발
1
2
3
4
도착

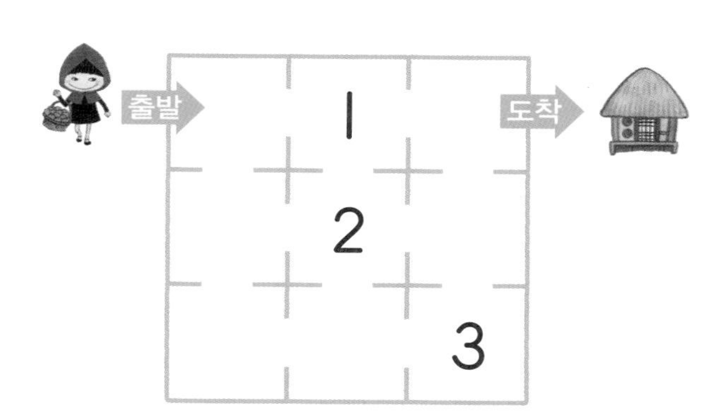

출발
1
도착
2
3

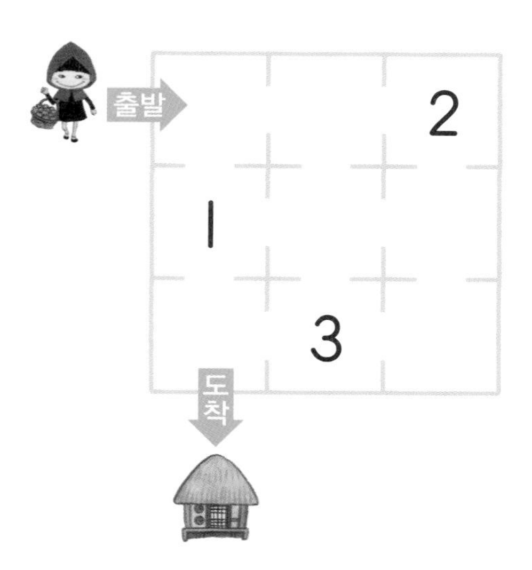

출발
2
1
3
도착

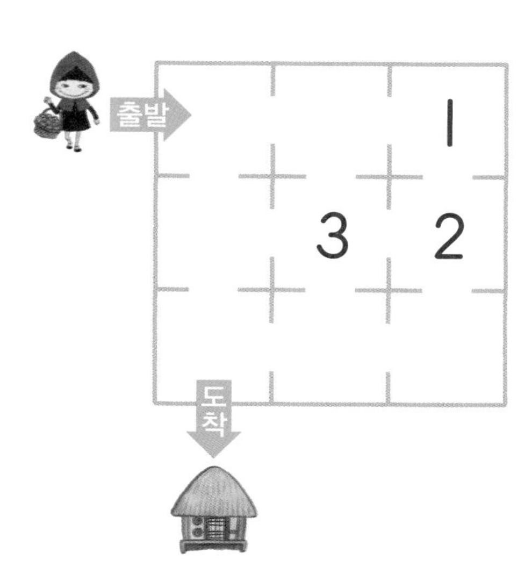

출발
1
3
2
도착

오늘은 얼마나 잘했을까요?
칭찬 붙임 딱지를
붙여 주세요!

2 일차 색칠하기

같은 숫자끼리 서로 이웃하지 않도록 도형 안에 1, 2를 써넣으시오.

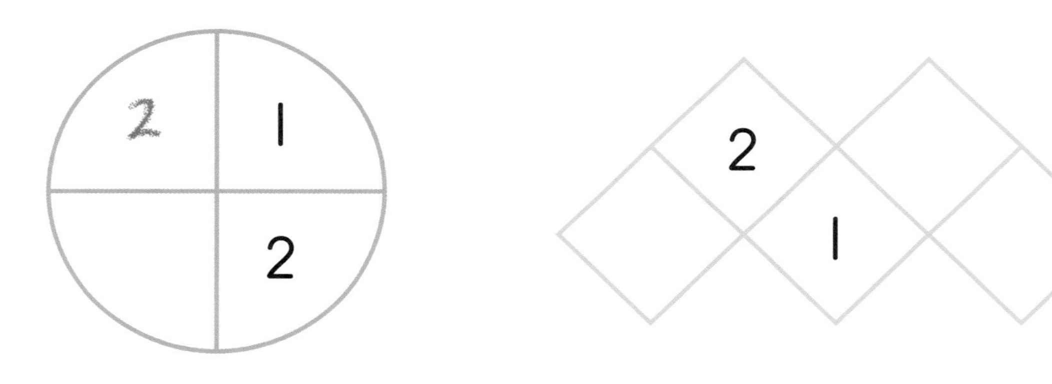

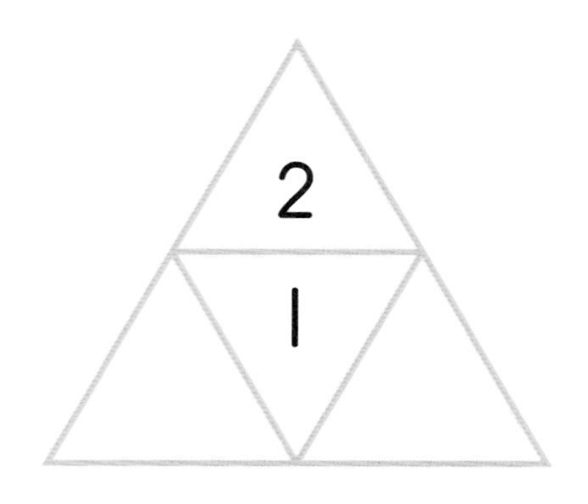

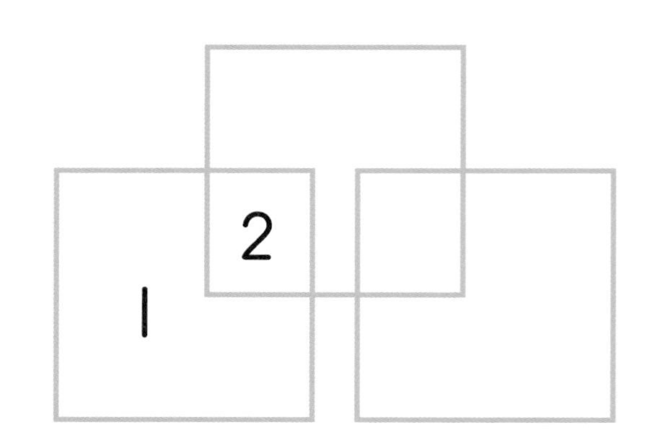

같은 숫자끼리 서로 이웃하지 않도록 도형 안에 1, 2, 3을 써넣으시오.

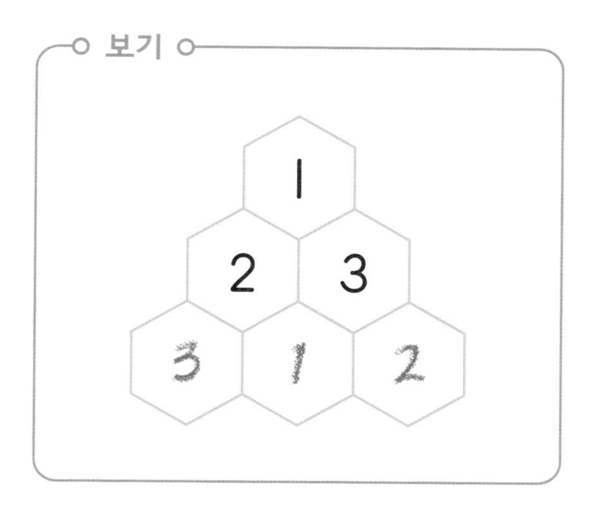

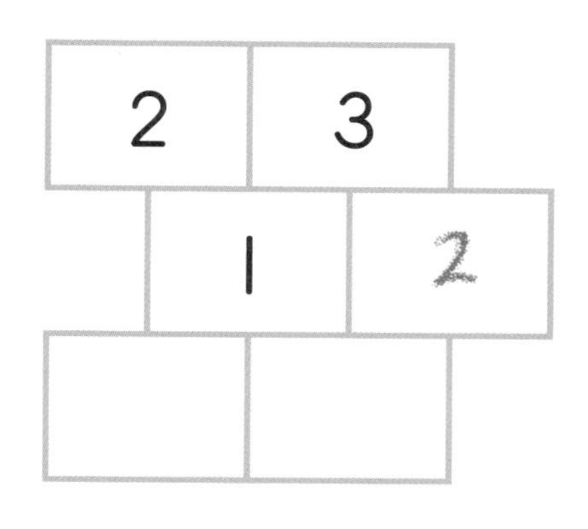

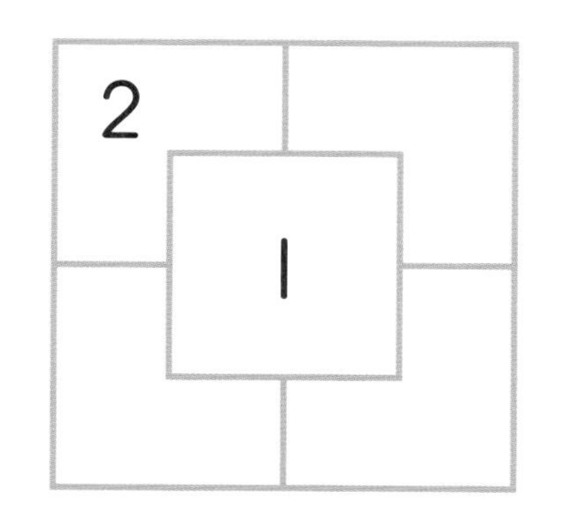

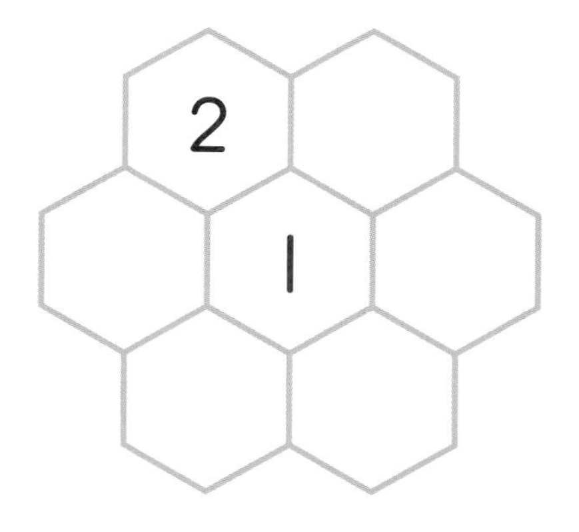

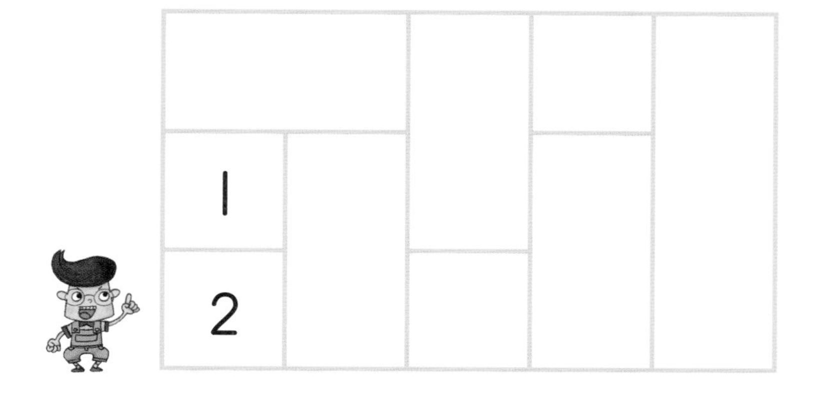

주어진 색끼리 서로 이웃하지 않도록 색칠해 보시오.

준비물 ▸ 색연필

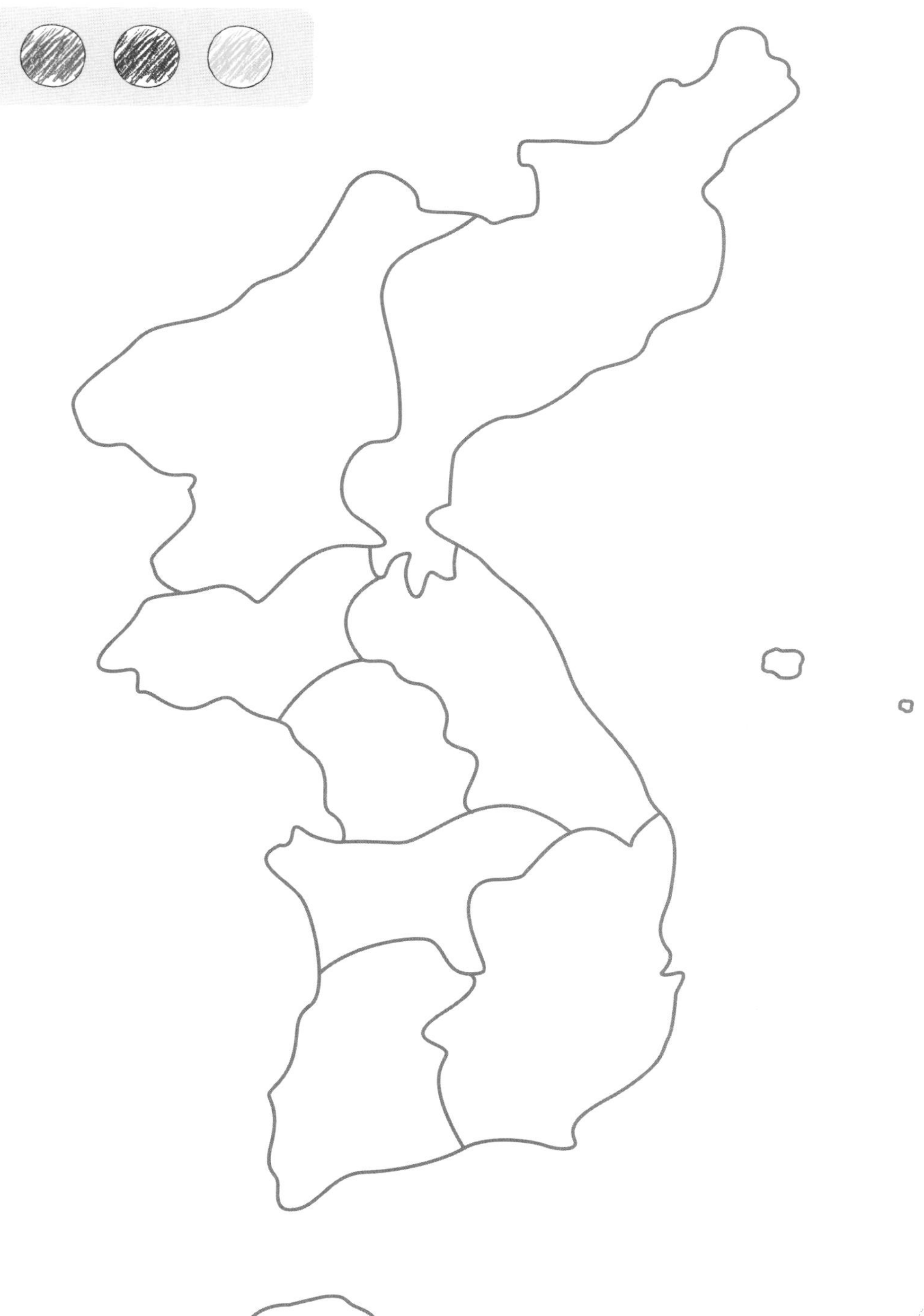

3
P01

오늘은 얼마나 잘했을까요?
칭찬 붙임 딱지를
붙여 주세요!

3 일차 짝꿍 찾기

모든 칸을 한 번씩만 지나면서 관계있는 것끼리 선으로 연결하시오.

보기

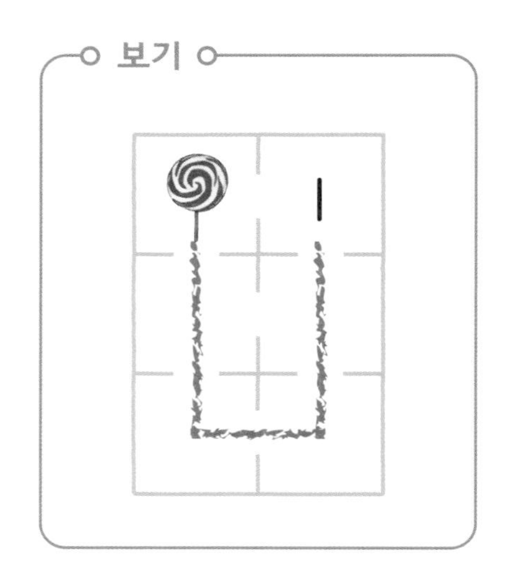

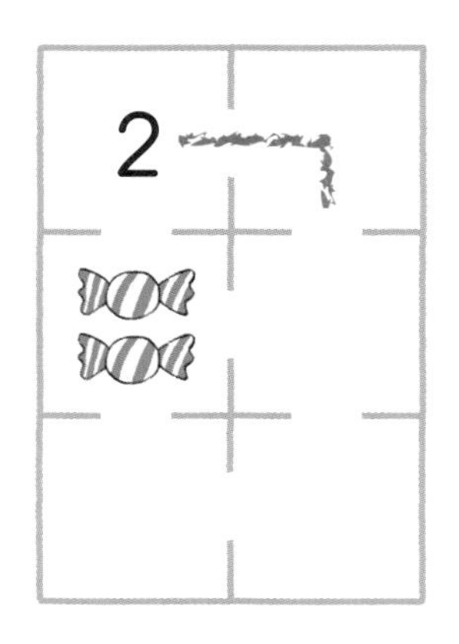

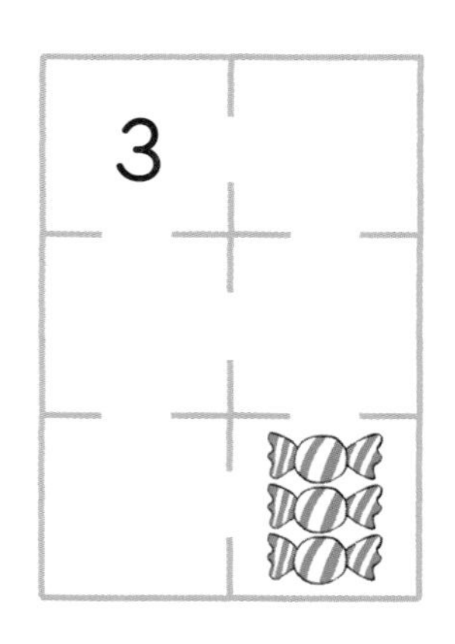

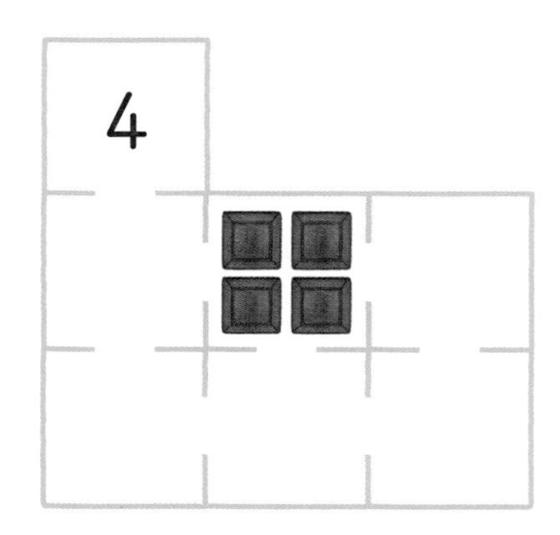

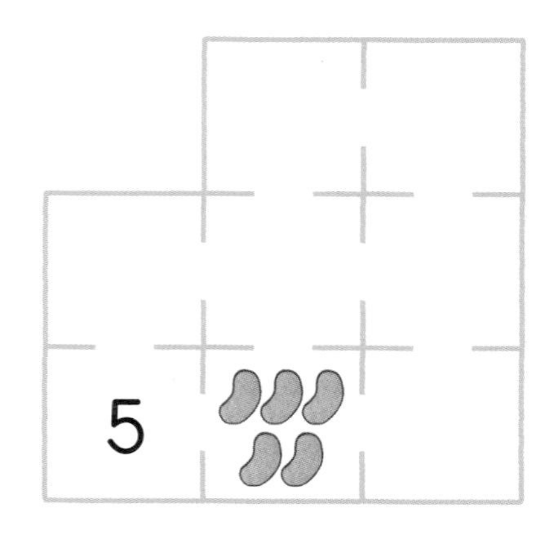

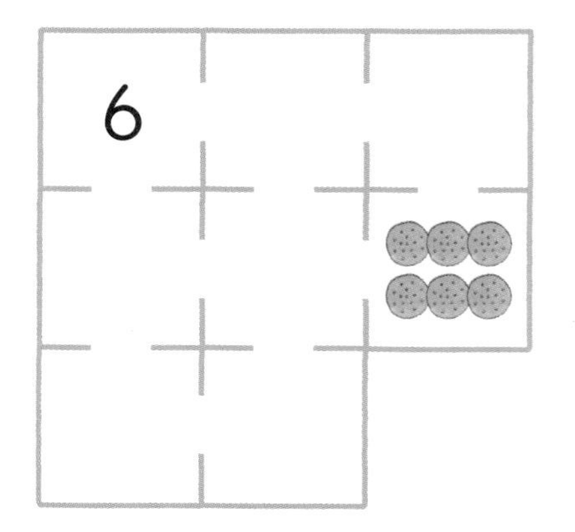

모든 칸을 한 번씩만 지나면서 관계있는 것끼리 선으로 연결하시오.

보기

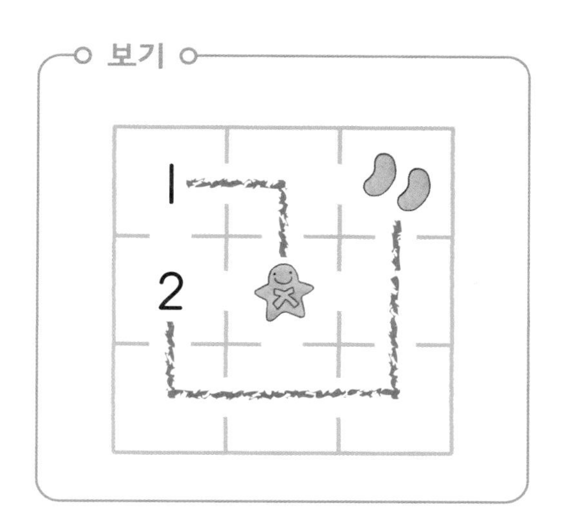

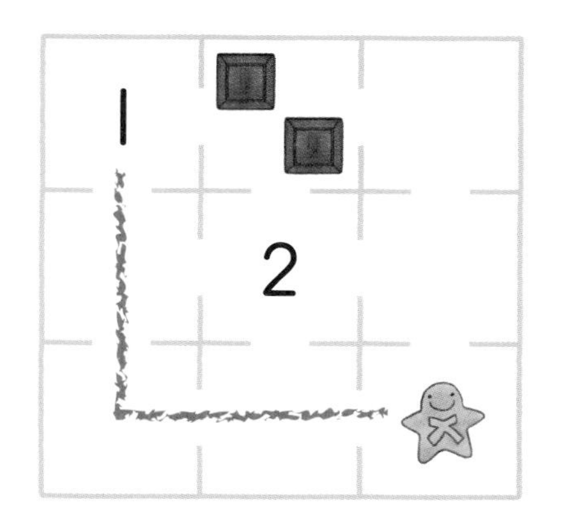

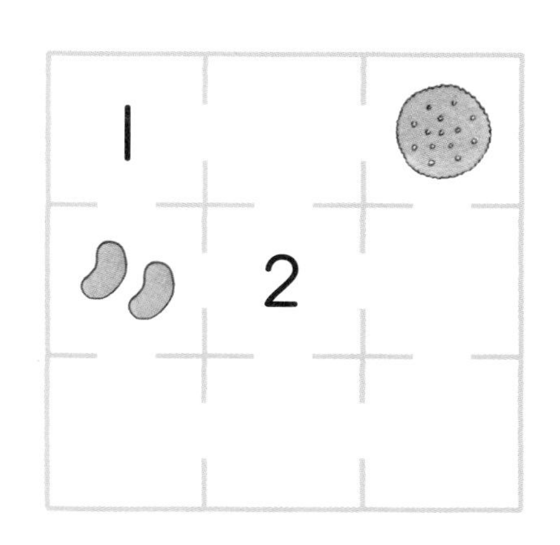

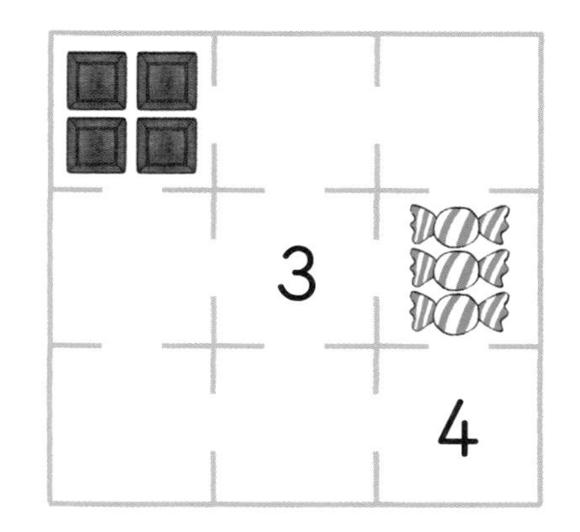

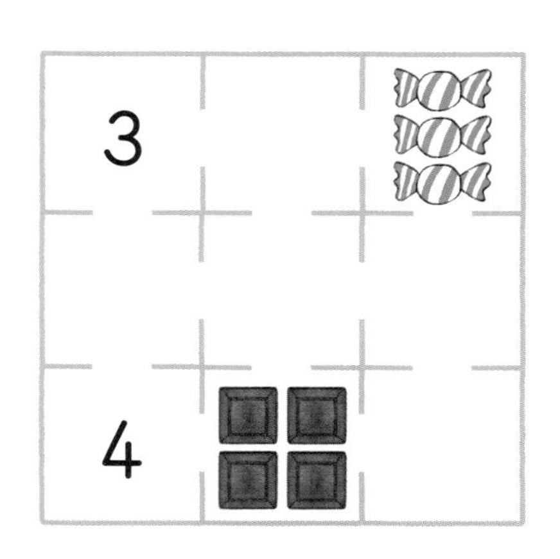

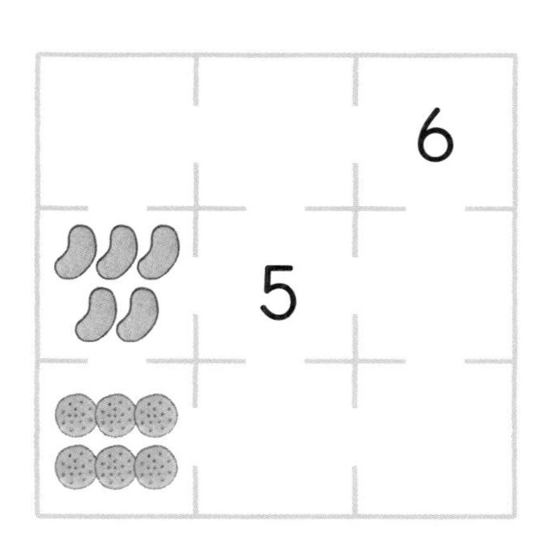

모든 칸을 한 번씩만 지나면서 관계있는 것끼리 선으로 연결하시오.

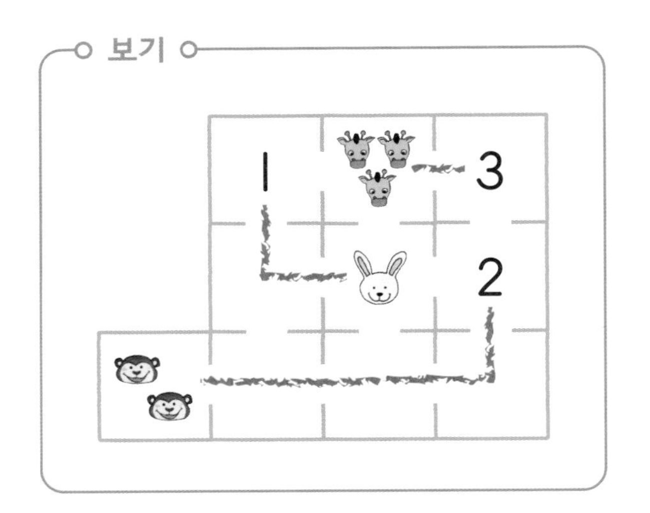

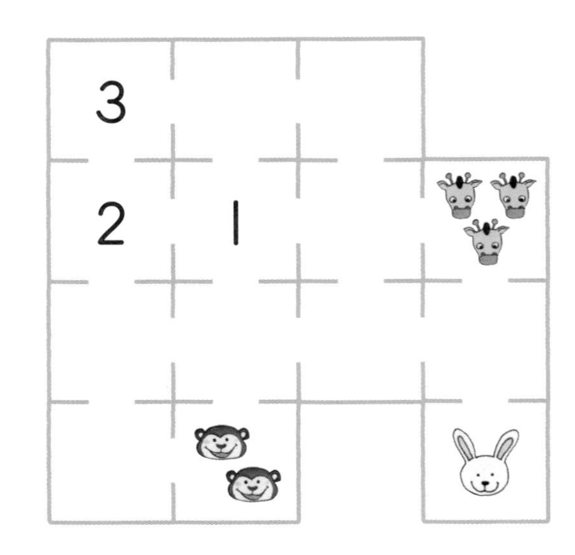

공부한 날

월

일

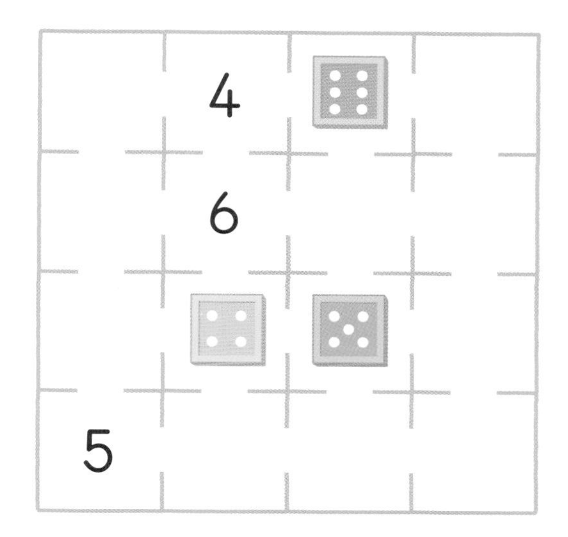
4
6
5

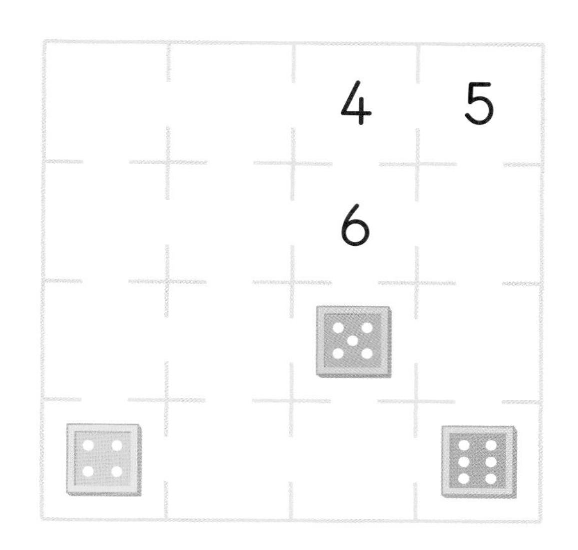
4
5
6

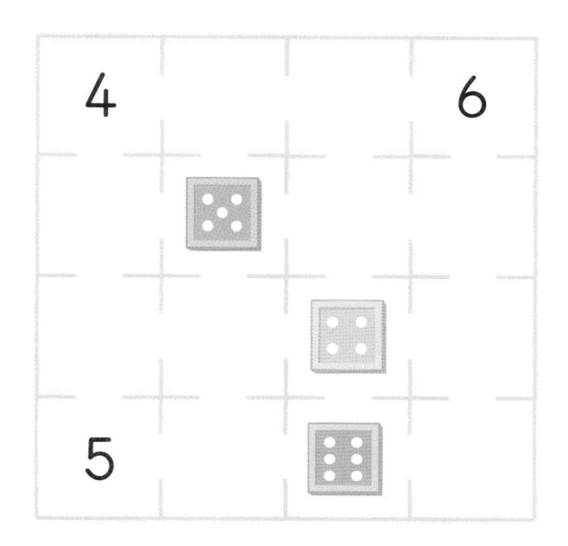
4
6
5

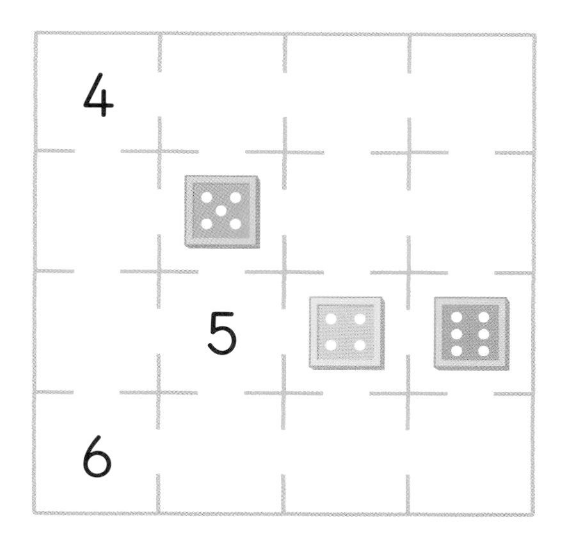
4
5
6

오늘은 얼마나 잘했을까요?
칭찬 붙임 딱지를
붙여 주세요!

고대수

고대수의 규칙을 찾아 ▢ 안에 알맞게 써넣으시오.

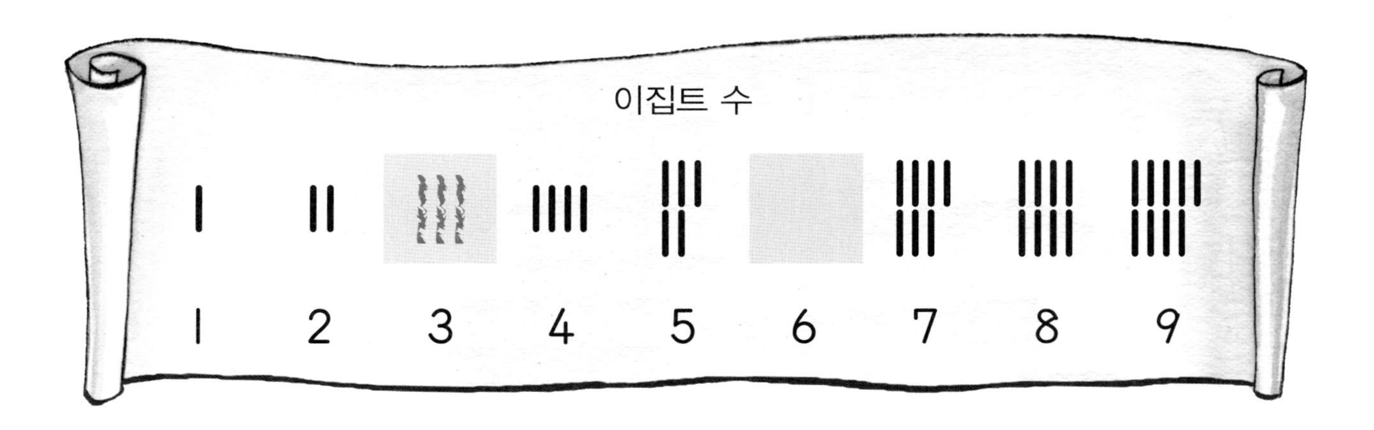

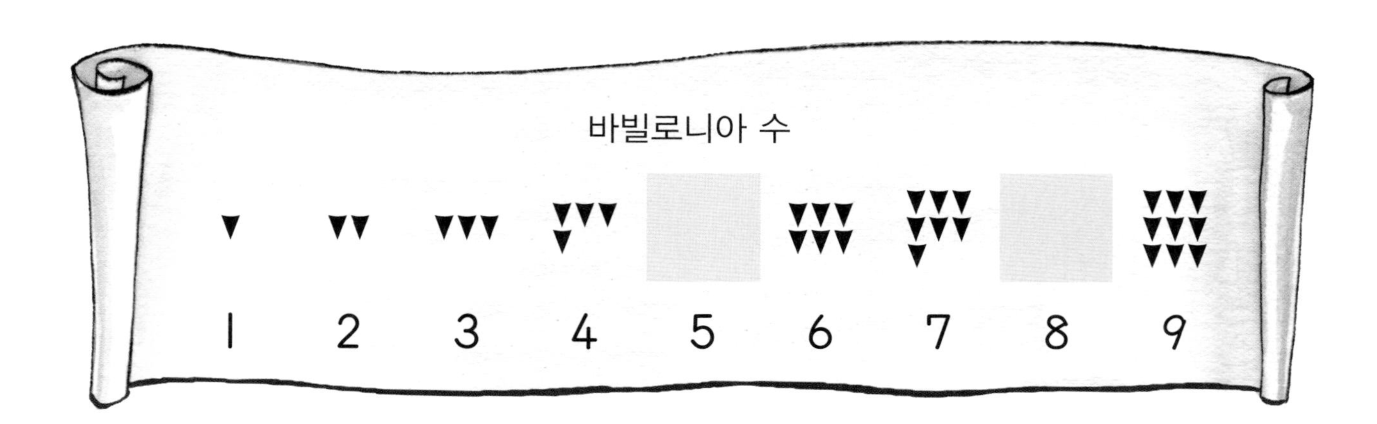

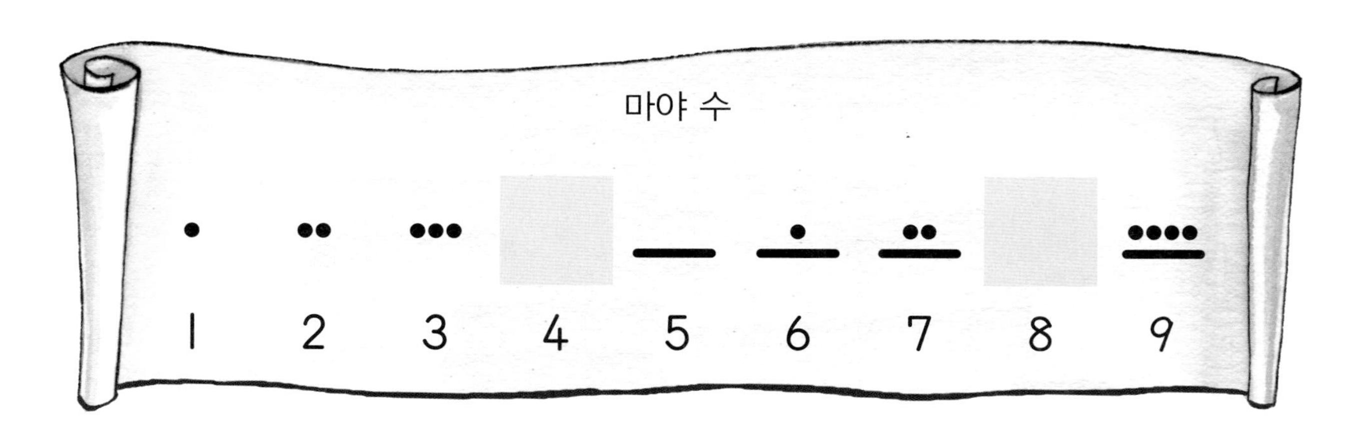

공부한 날
월
일

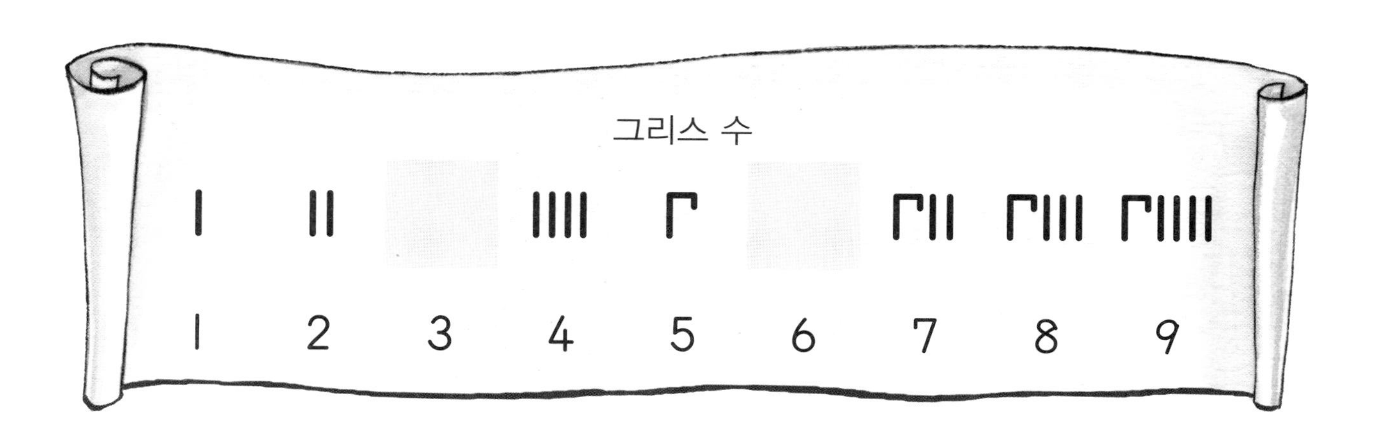
그리스 수
1 2 3 4 5 6 7 8 9

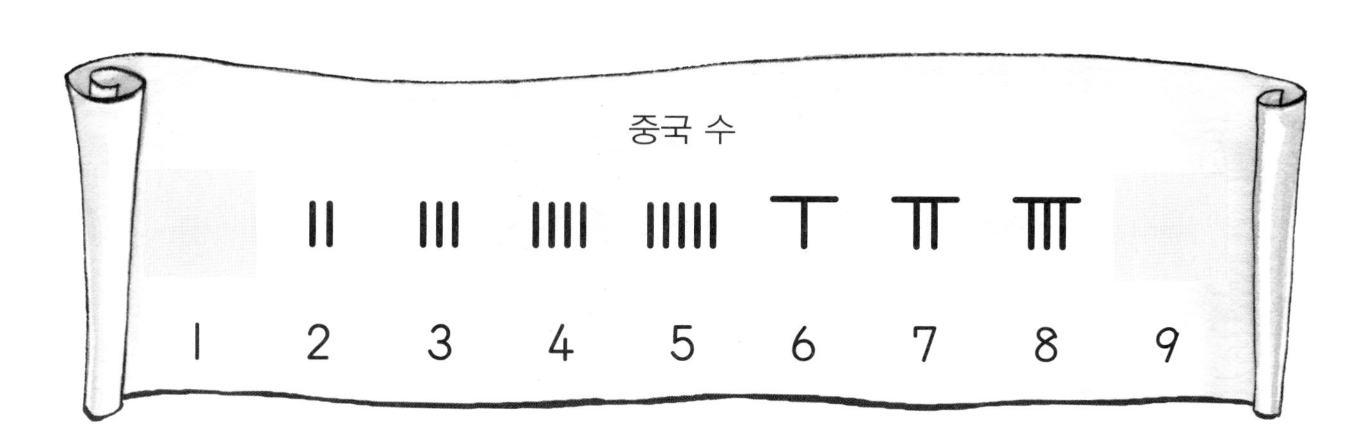
중국 수
1 2 3 4 5 6 7 8 9

고대수의 규칙을 찾아 ▢ 안에 알맞은 수를 써넣으시오.

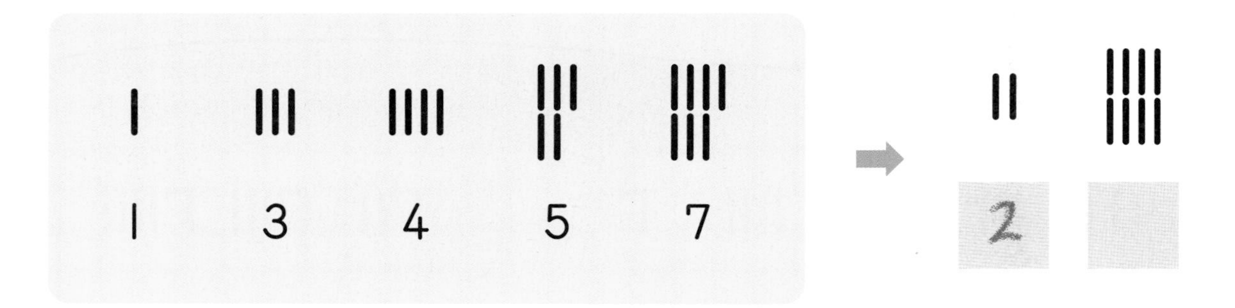

1 2 3 5 7

II III Γ ΓI ΓII

2 3 5 6 7

→ I ΓIIII

I III IIII ㅜ ㅠ(Ⅲ)

1 3 4 6 8

→ IIIII ㅠ

Ⅰ Ⅱ Ⅴ Ⅵ Ⅶ

1 2 5 6 7

→ 
Ⅲ Ⅷ

5 일차 성냥개비 더하기

성냥개비 1**개를 더하여** 다른 숫자를 만들어 보시오.

온라인 활동지

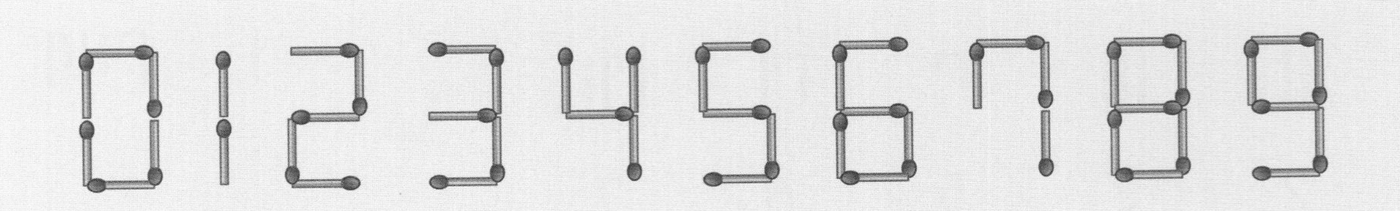

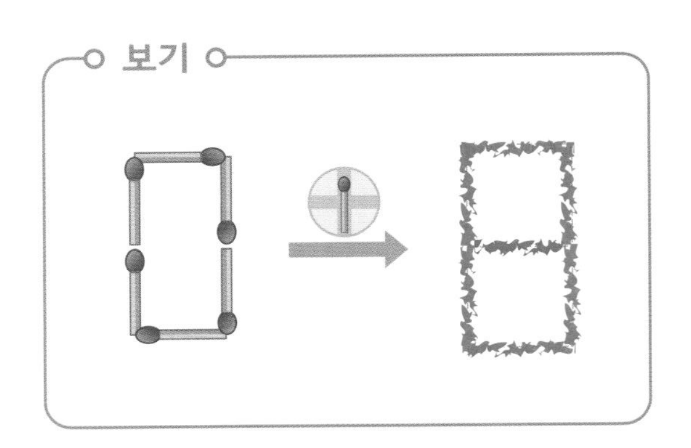

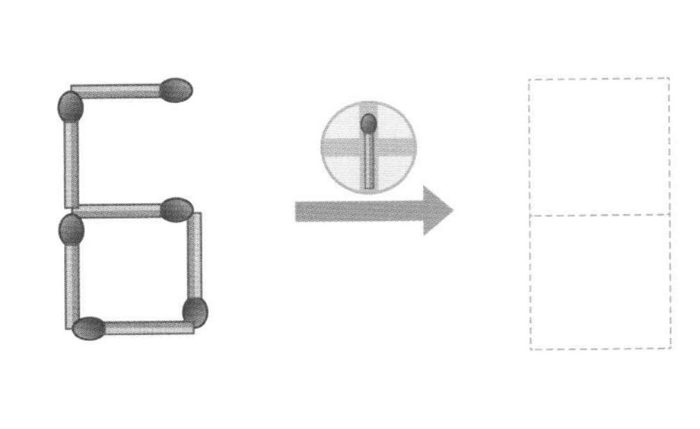

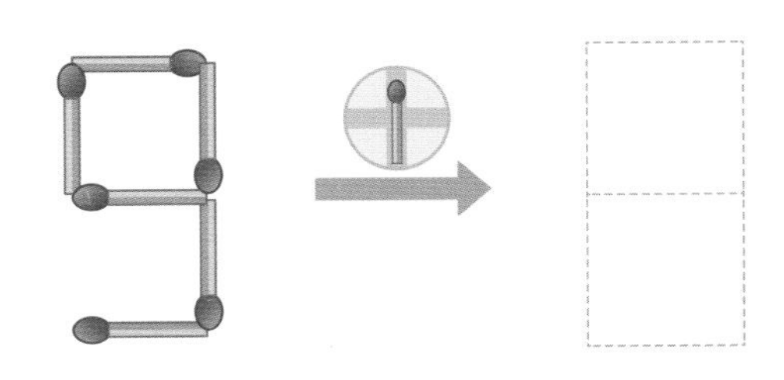

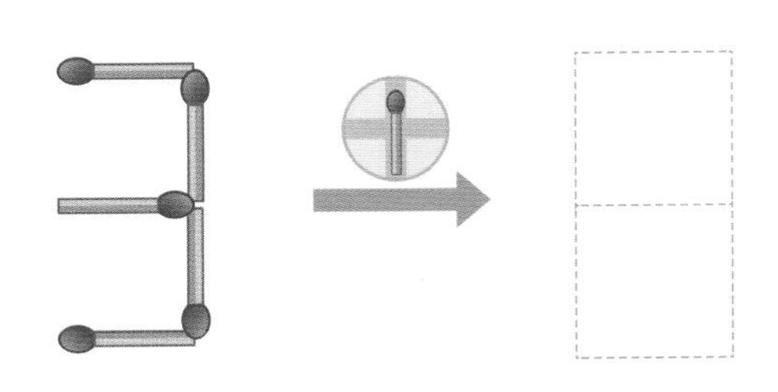

성냥개비 **2개를 더하여** 서로 다른 숫자를 만들어 보시오.

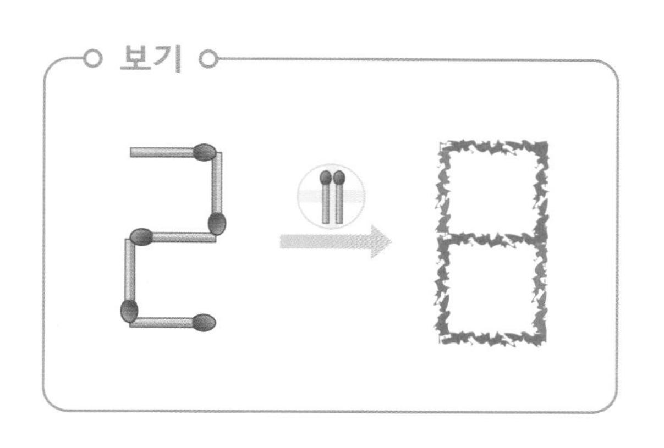

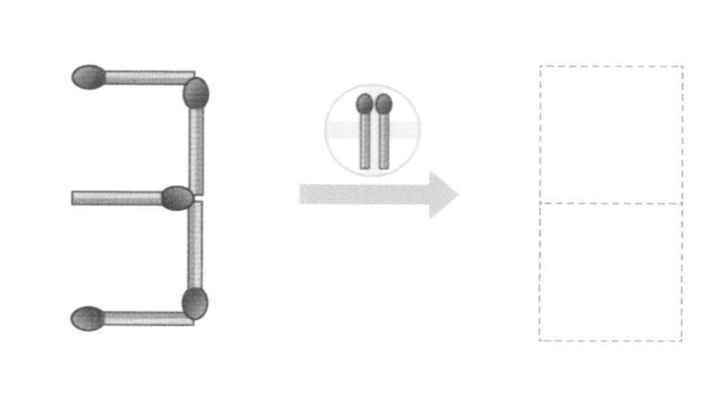

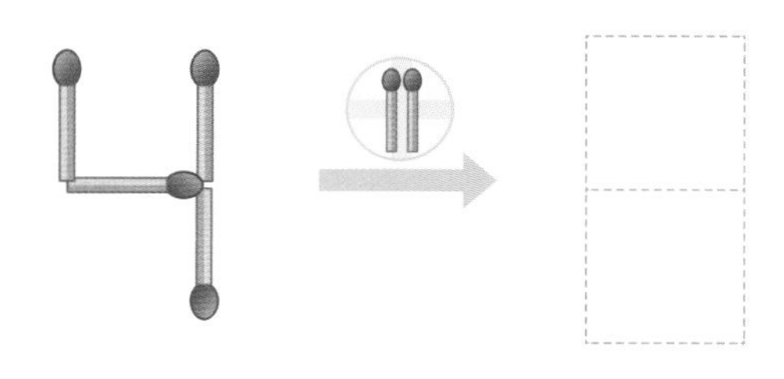

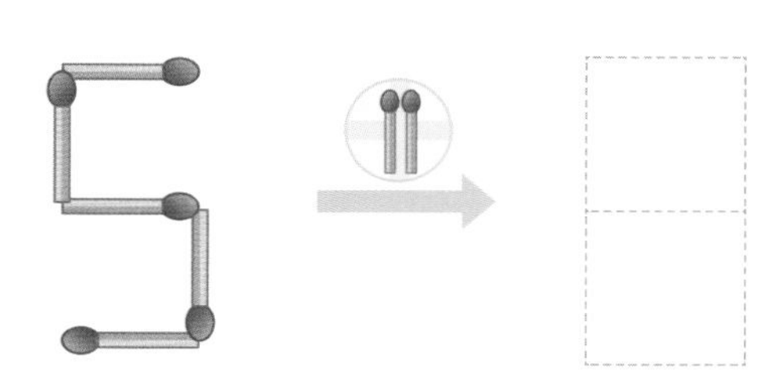

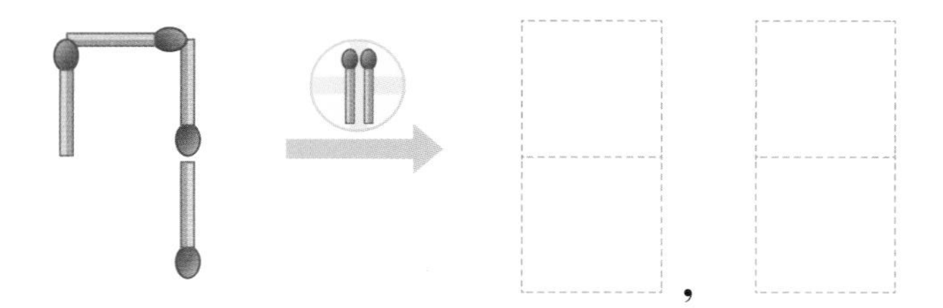

3
P01

주어진 성냥개비를 **더하여** 서로 다른 숫자를 만들어 보시오.

온라인 활동지

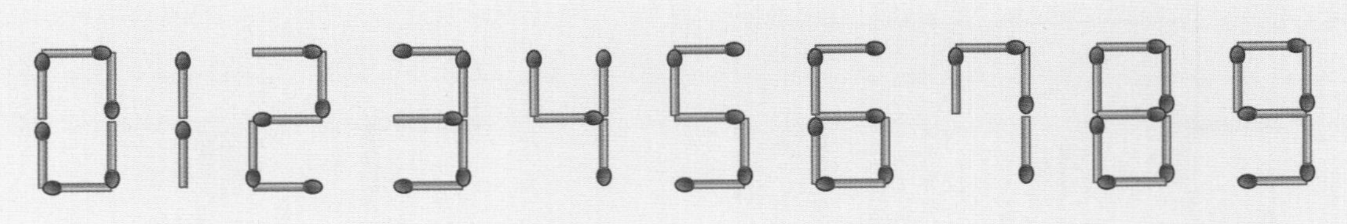

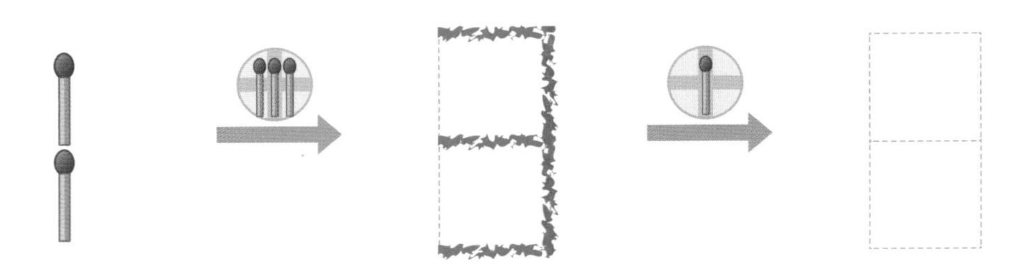

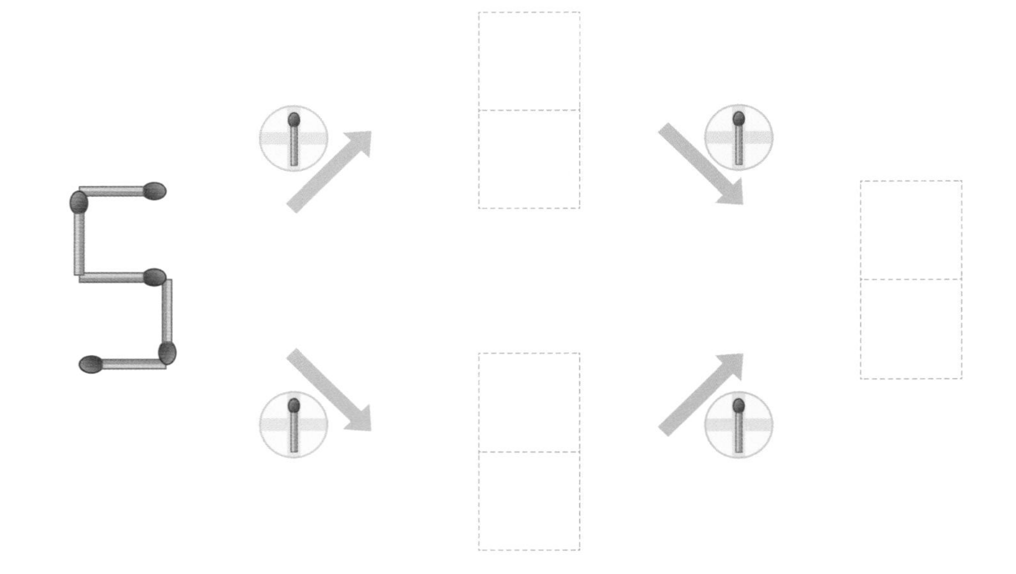

공부한 날 월 일

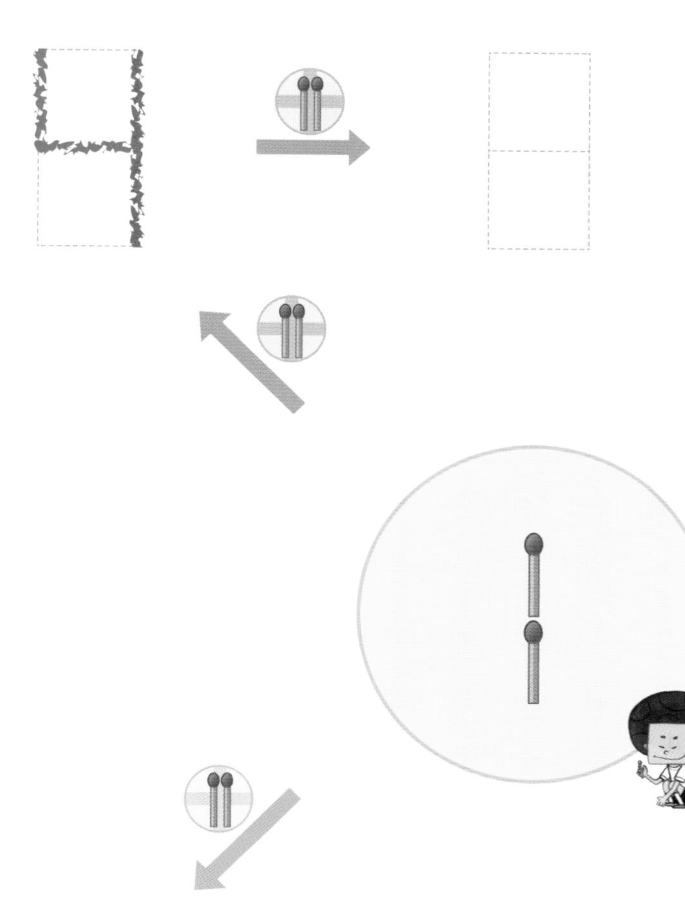

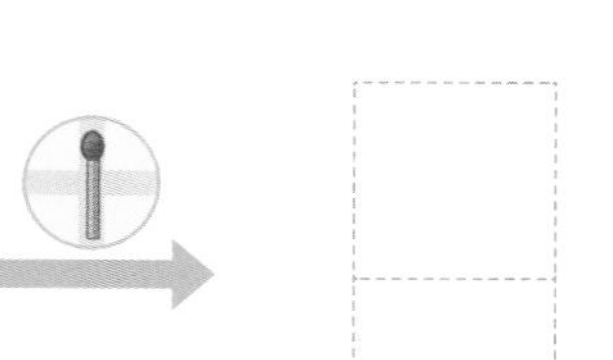

P01
10까지의 수

학습관리표

일 자			소요 시간	틀린 문항 수	확인
❶ 일차	월	일	:		
❷ 일차	월	일	:		
❸ 일차	월	일	:		
❹ 일차	월	일	:		
❺ 일차	월	일	:		

4 주

수 규칙

규칙을 찾아 ▒ 안에 알맞은 수를 써넣으시오.

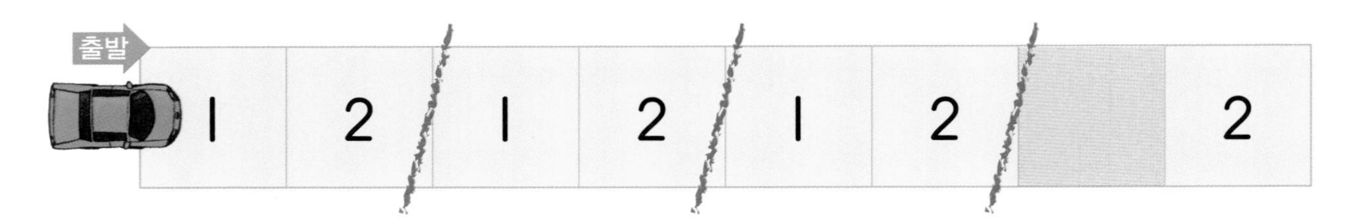

출발

9	5	5	9	5	5		5

출발

7	8	9	7	8	9	7	

출발

1	0	2	0	3		4	0

공부한 날 월 일

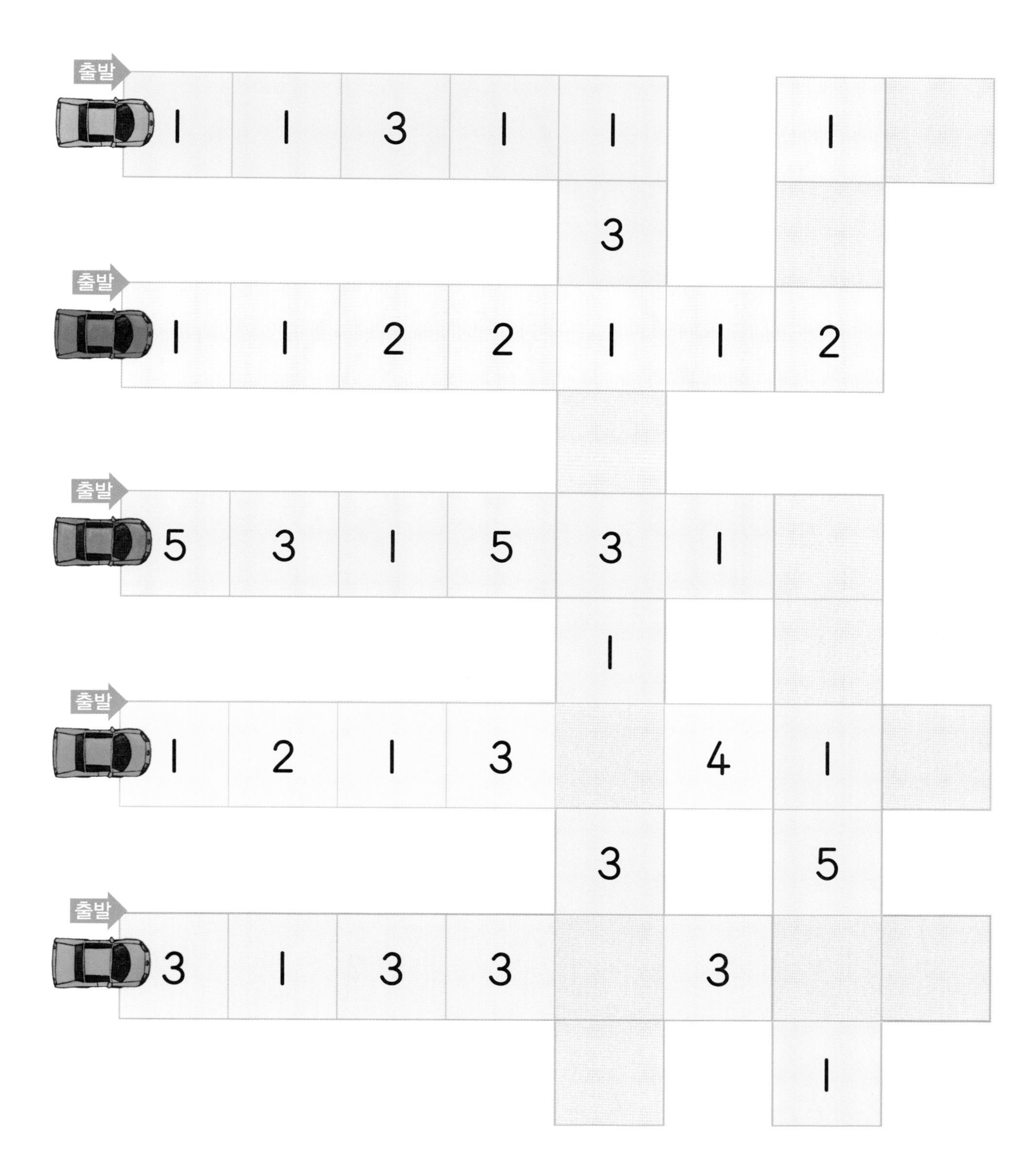

출발
1 1 3 1 1 1
3
출발
1 1 2 2 1 1 2
출발
5 3 1 5 3 1
1
출발
1 2 1 3 4 1
3 5
출발
3 1 3 3 3
1

미로를 통과하며 수의 규칙을 찾아 ? 안에 알맞은 수를 써넣으시오.

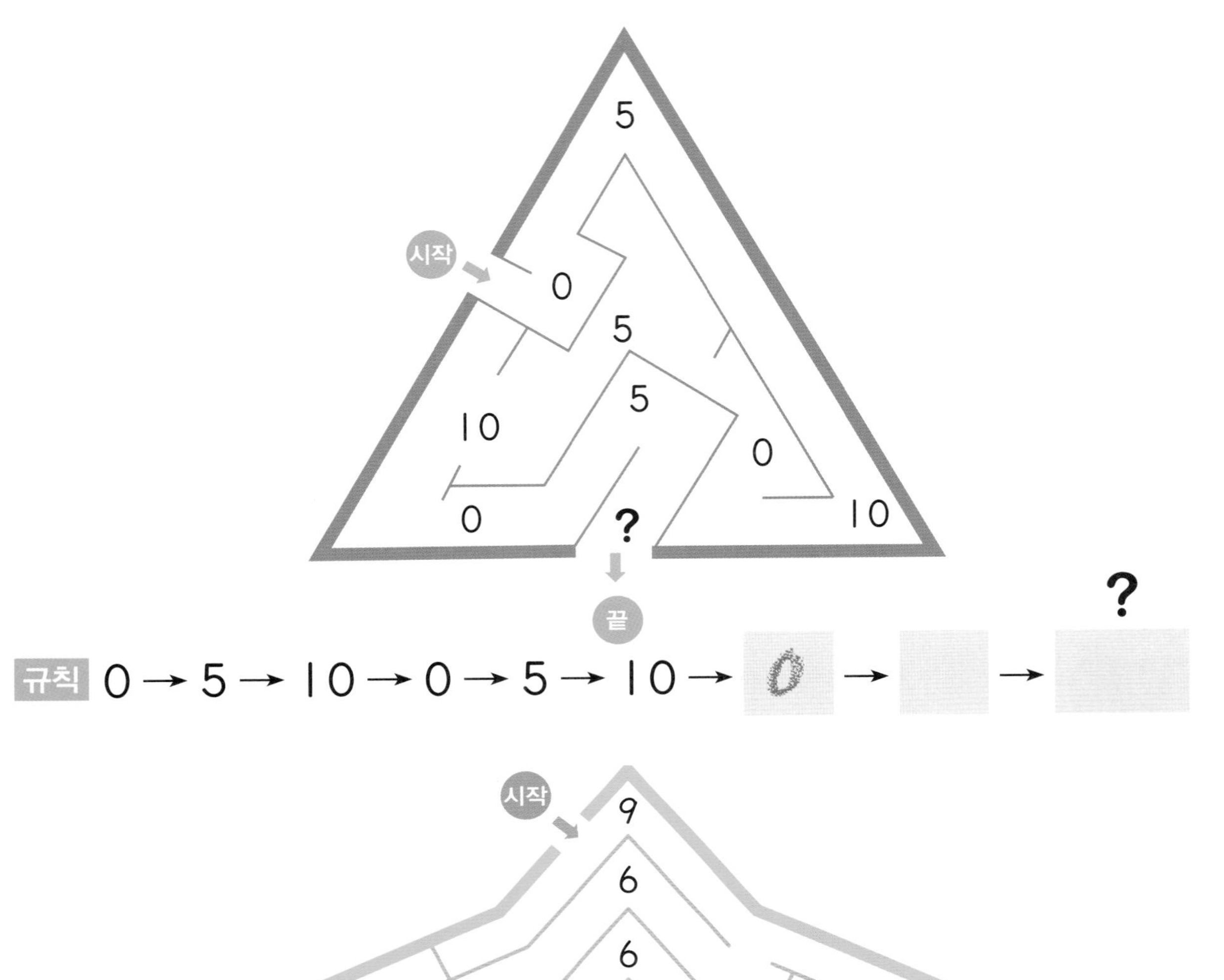

규칙 0 → 5 → 10 → 0 → 5 → 10 → 0 → ☐ → ☐ ?

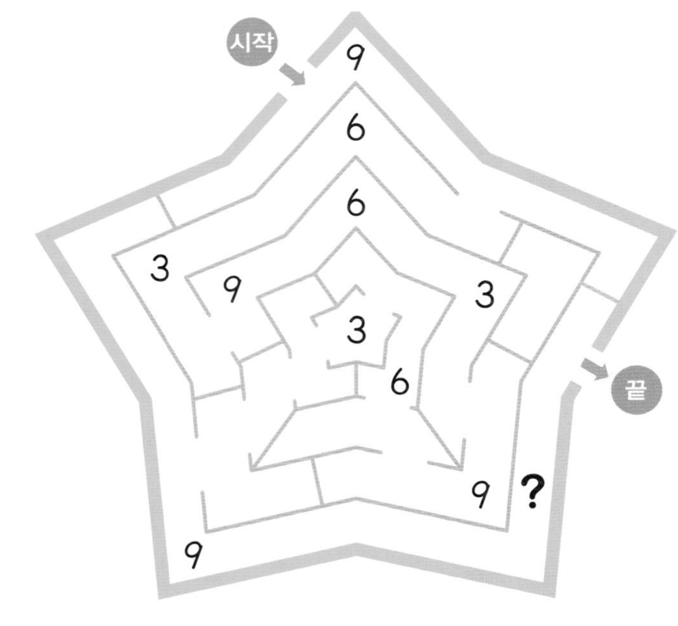

규칙 9 → 6 → 3 → 9 → 6 → 3 → 9 → ☐ → ☐ → ☐ → ☐ ?

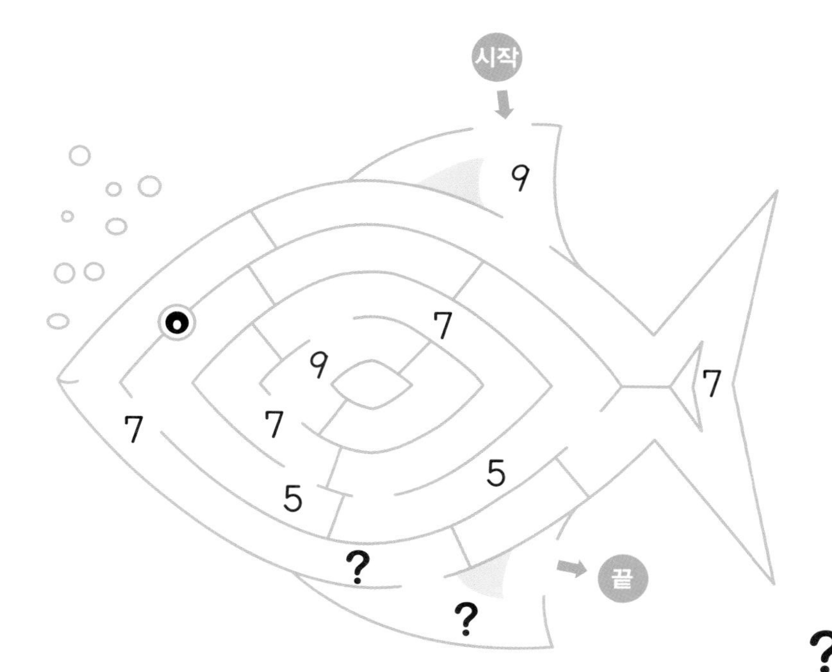

규칙 9 → 7 → 5 → 7 → 9 → 7 → ☐ → ☐ → ☐ → ☐

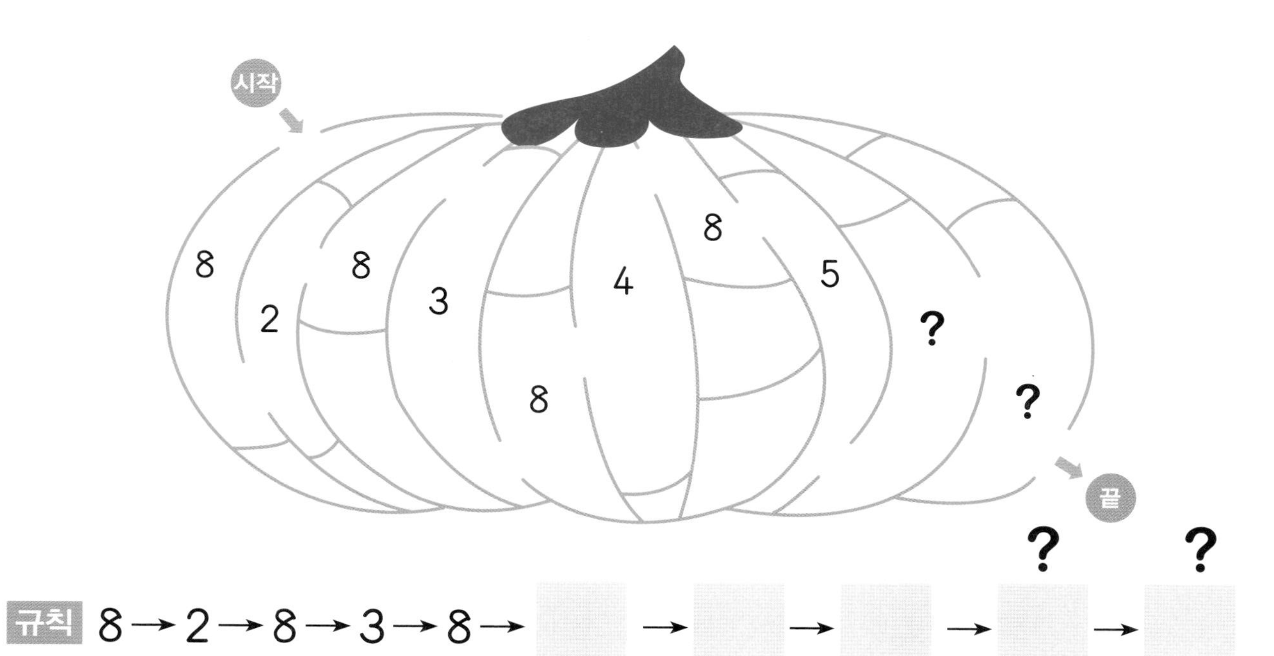

규칙 8 → 2 → 8 → 3 → 8 → ☐ → ☐ → ☐ → ☐ → ☐

연속수 잇기

고양이가 생선을 먹을 수 있도록 수를 순서대로 연결하시오.

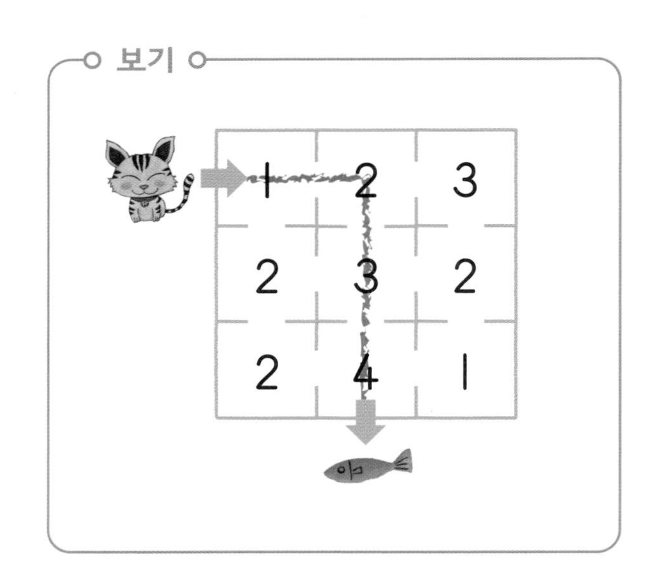

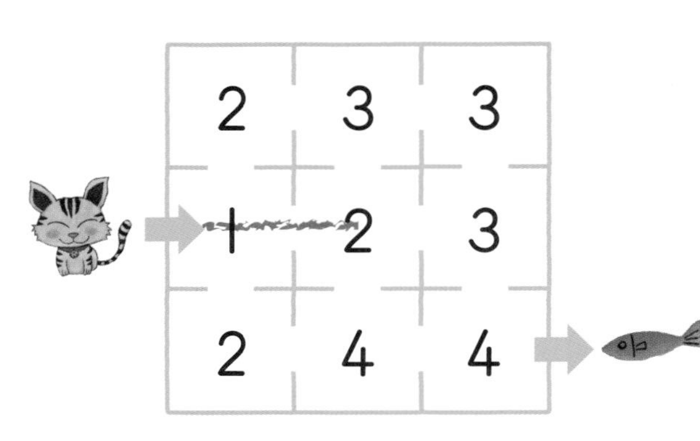

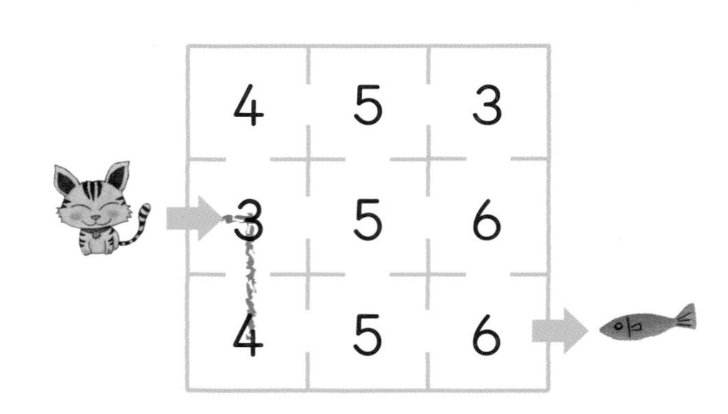

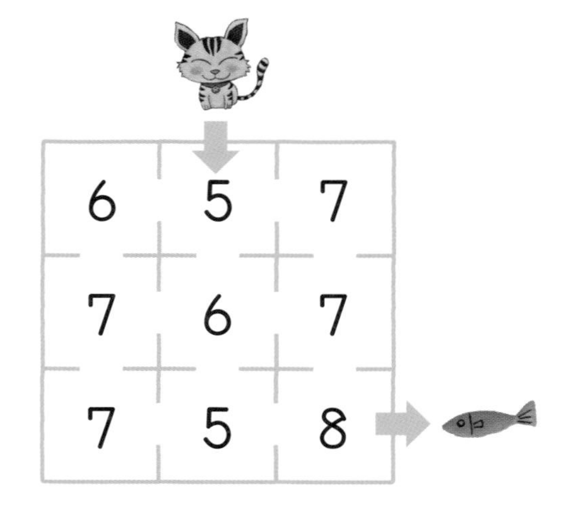

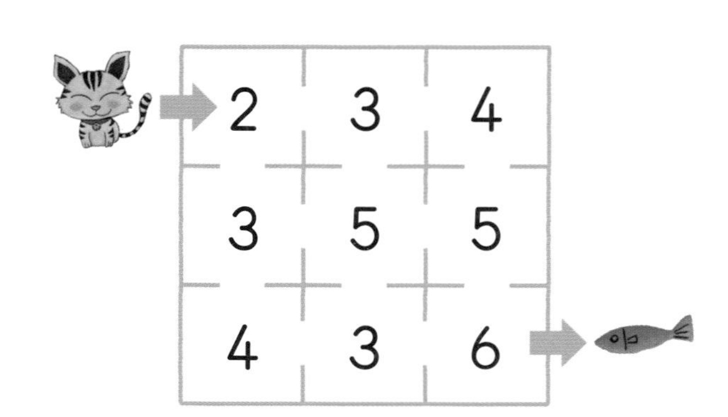

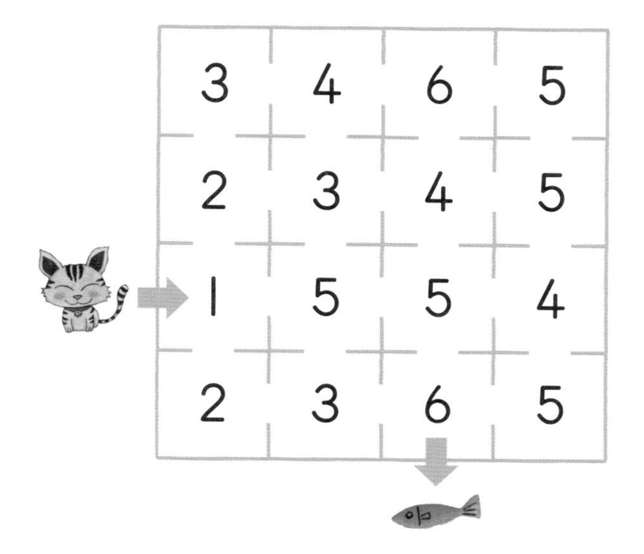

3	4	6	5
2	3	4	5
1	5	5	4
2	3	6	5

5	4	3	6
6	5	4	7
8	6	5	6
2	3	8	7

4	4	5	7
2	3	4	5
1	4	6	6
2	5	6	5
3	3	7	1

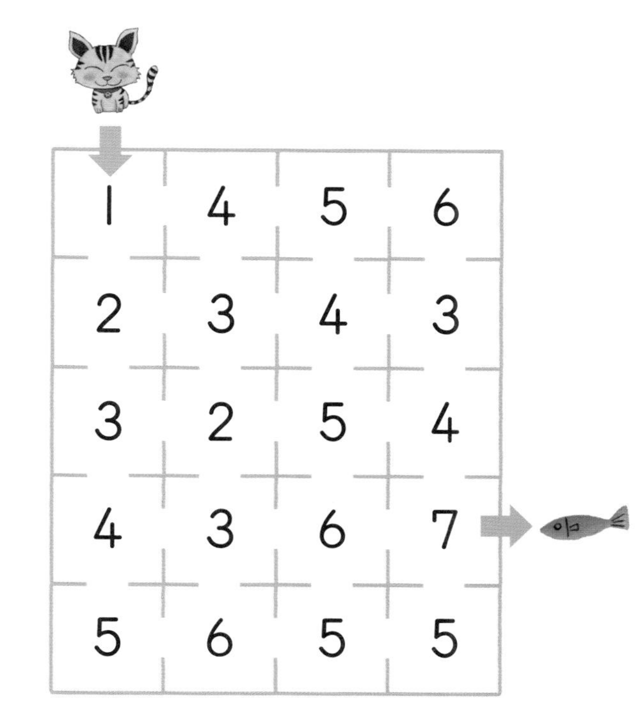

1	4	5	6
2	3	4	3
3	2	5	4
4	3	6	7
5	6	5	5

오 1부터 7까지의 수를 순서대로 지나 먹이까지 가는 방법을 **2가지** 찾아보시오.

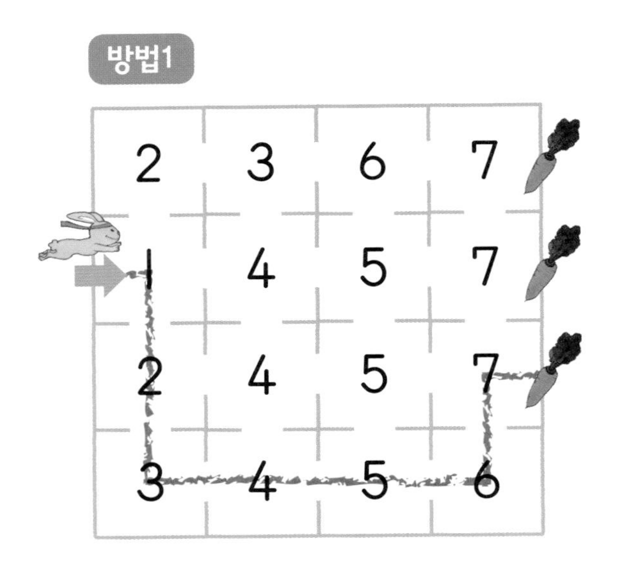

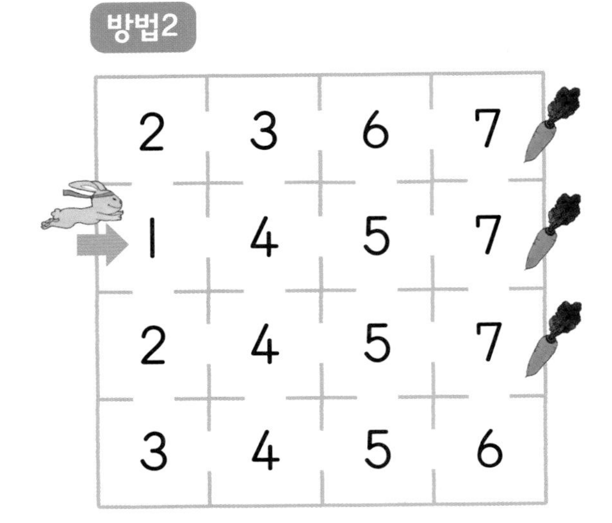

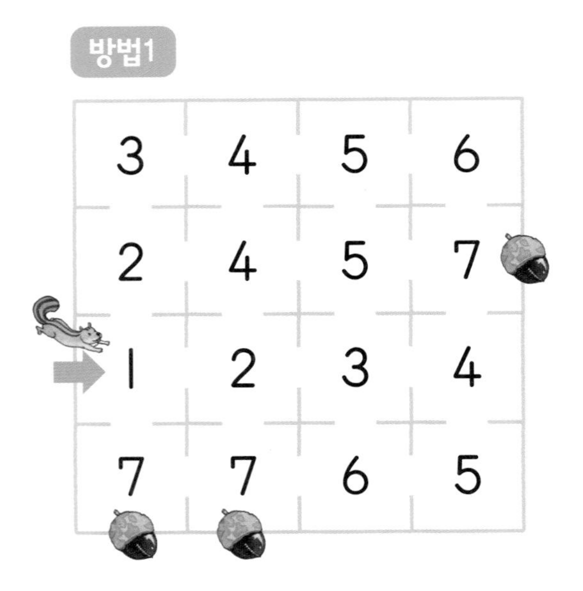

1부터 9까지의 수를 순서대로 지나 먹을 수 있는 음식을 3개 찾아 ◯표 하시오.

2	4	4	5	6	7	8
1	2	3	8	5	6	9
9	8	4	5	6	7	8
9	8	7	6	9	9	9

1	9	5	6	7	8	9
2	3	4	7	8	9	9
7	6	5	5	6	8	7
8	9	6	7	8	9	9

성냥개비 빼기

성냥개비 1개를 빼서 서로 다른 숫자를 만들어 보시오.

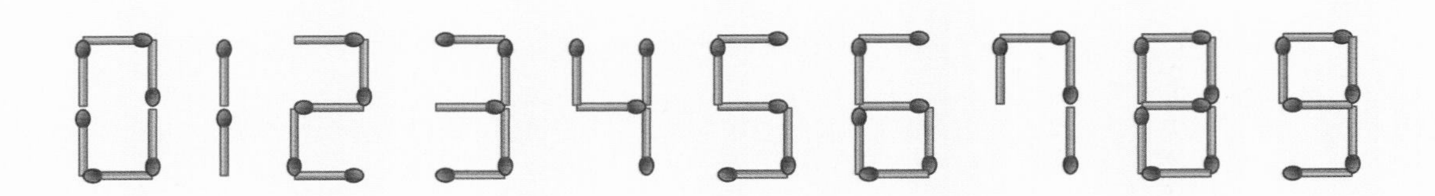

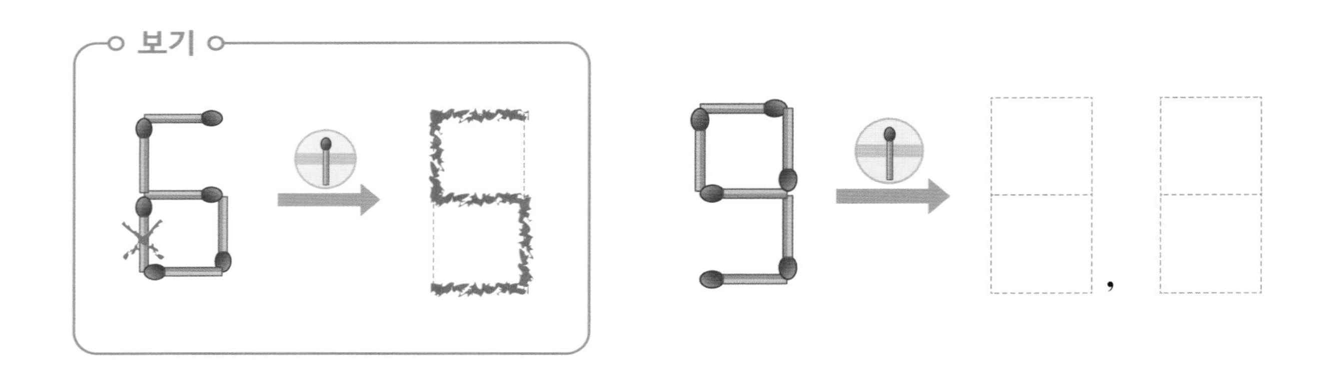

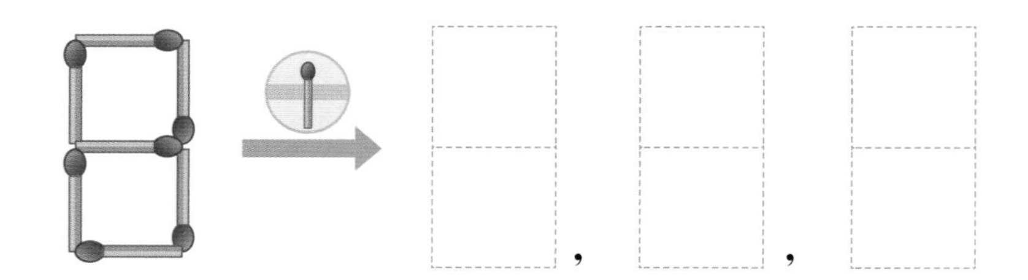

성냥개비 **2개를 빼서** 서로 다른 숫자를 만들어 보시오.

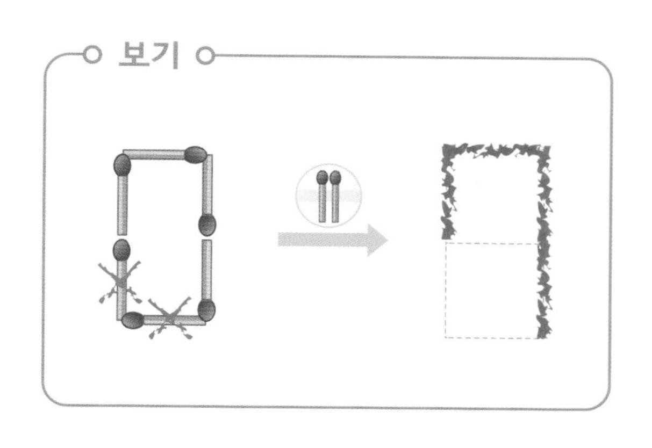

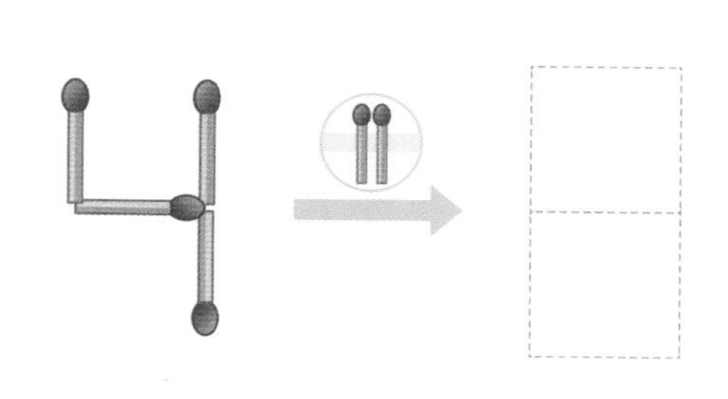

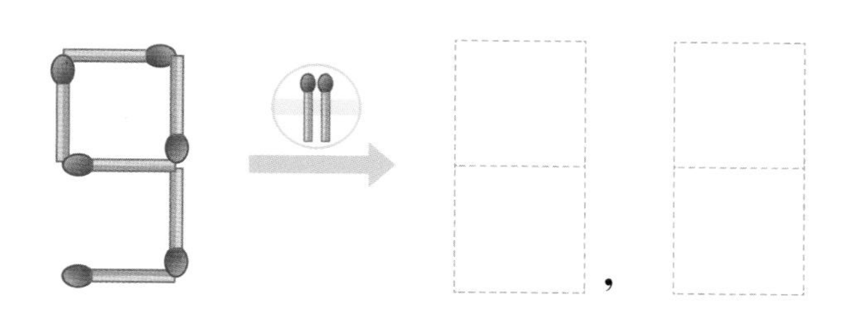

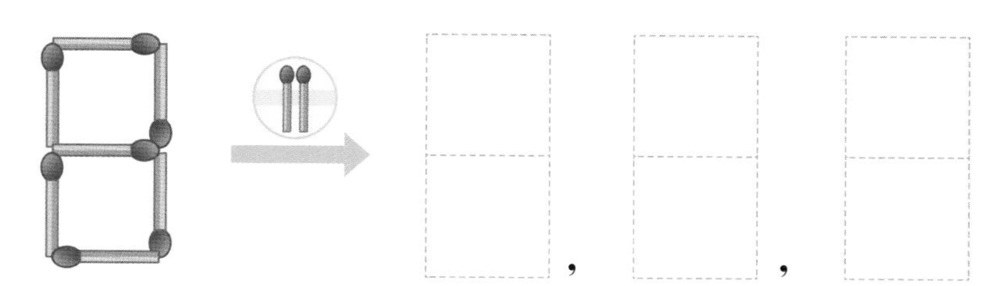

주어진 성냥개비를 **빼서** 서로 다른 숫자를 만들어 보시오.

온라인 활동지

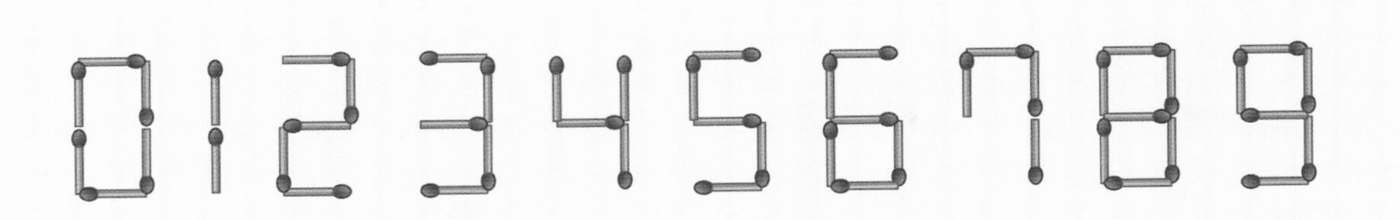

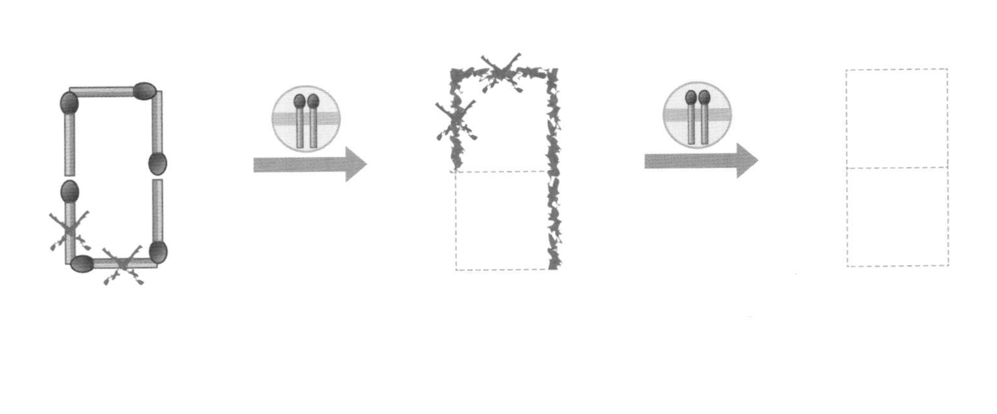

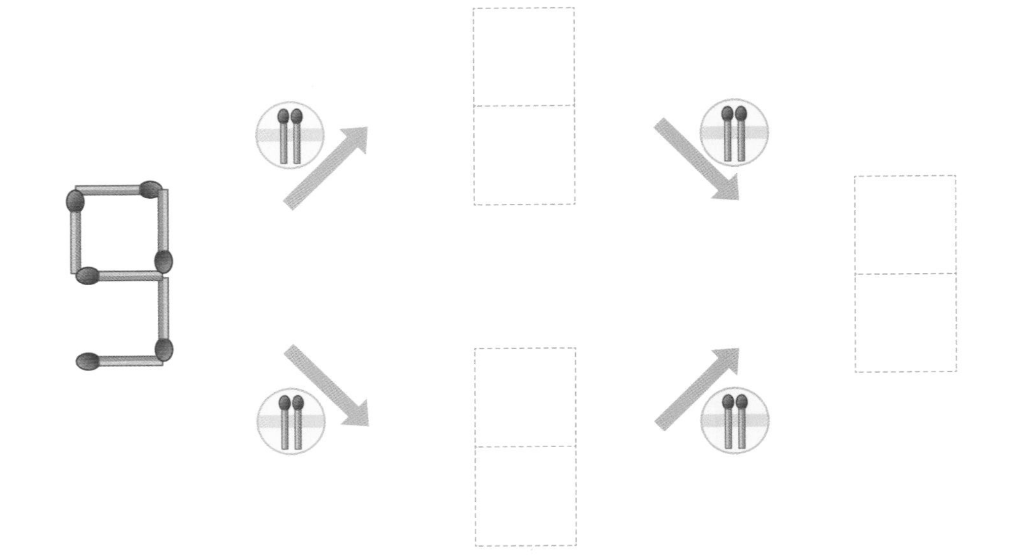

빈 곳에 **서로 다른** 성냥개비 숫자를 알맞게 써 보시오.

온라인 활동지

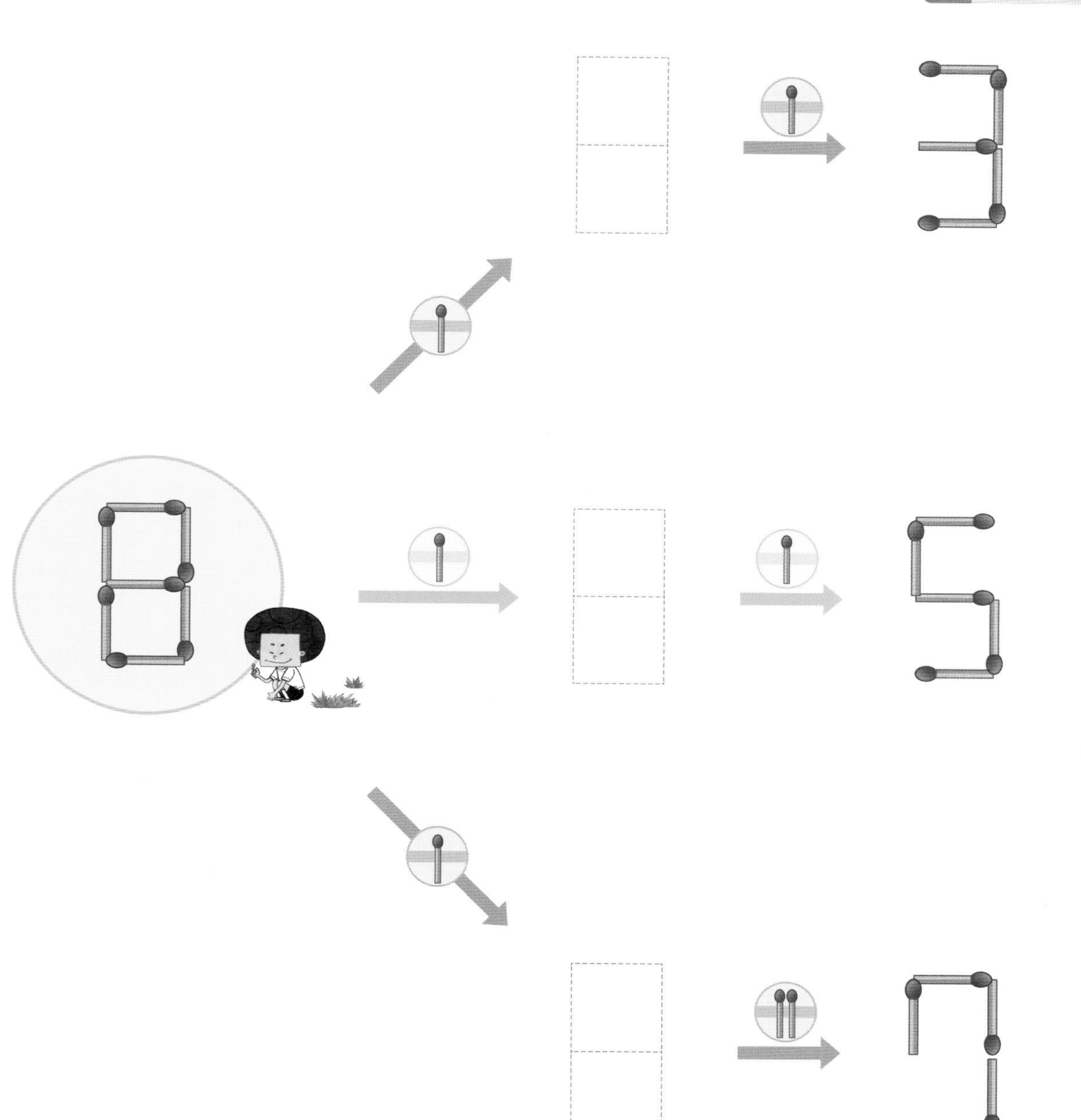

종이 자르기

—표시된 곳을 잘랐을 때 남은 종이에 쓰인 수를 써 보시오.

보기

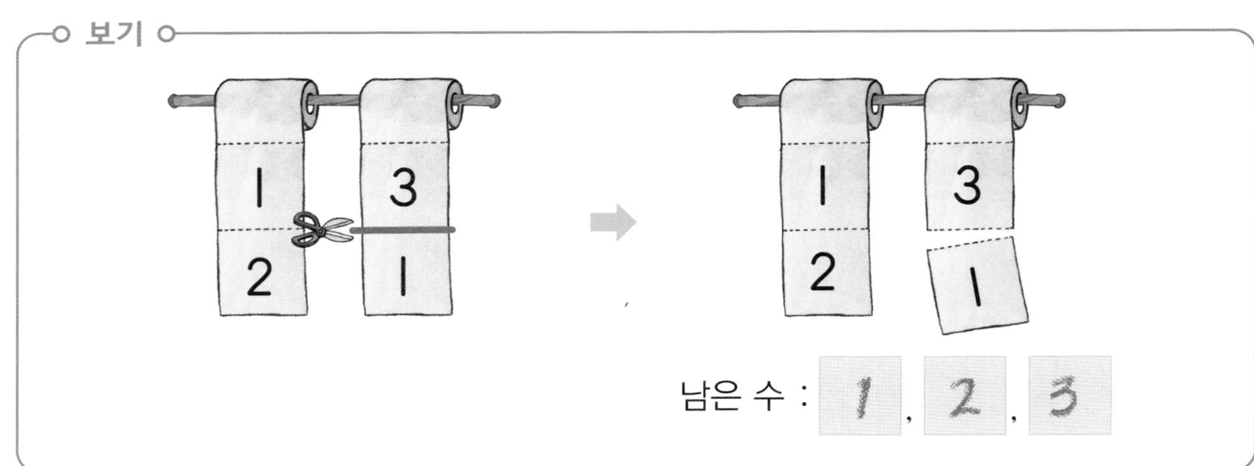

남은 수 : 1, 2, 3

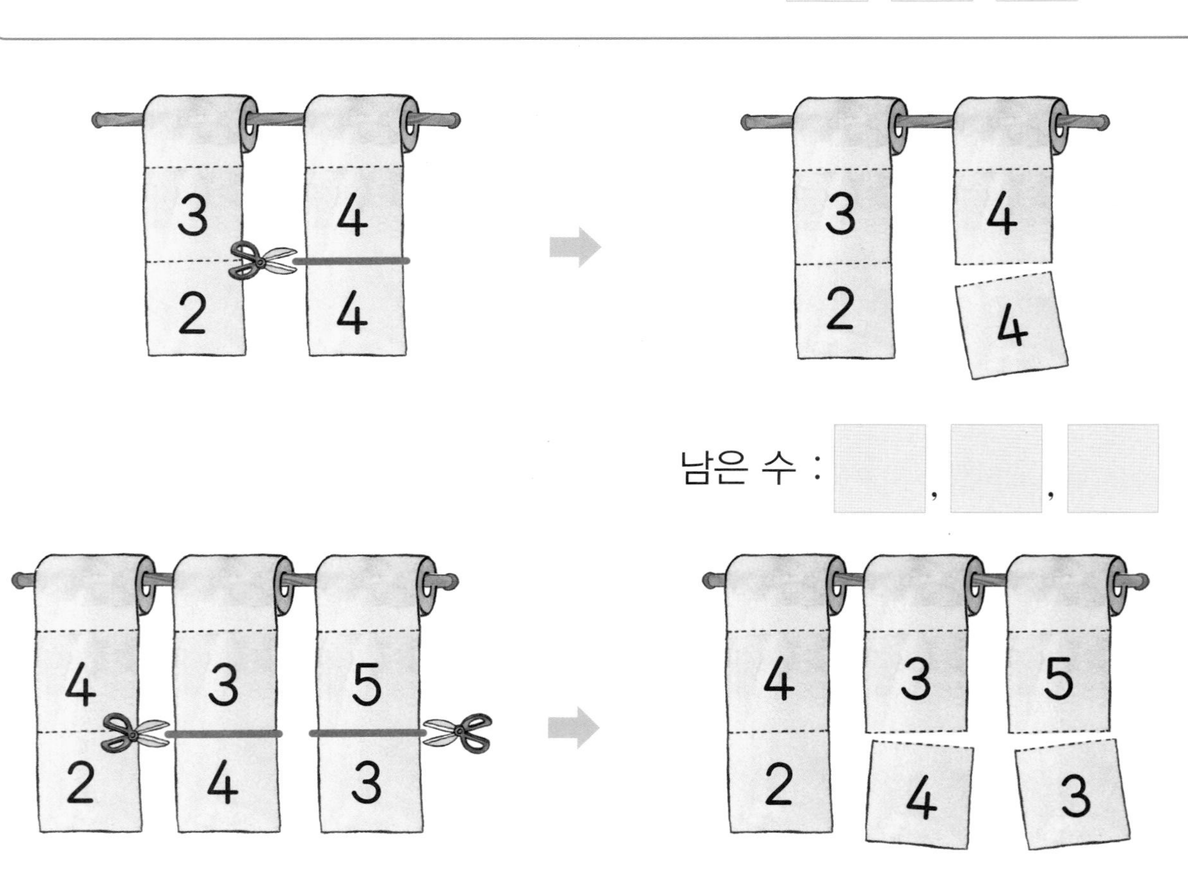

남은 수 : ☐, ☐, ☐

남은 수 : ☐, ☐, ☐, ☐

주어진 수가 남도록 1곳을 잘라 보시오.

보기

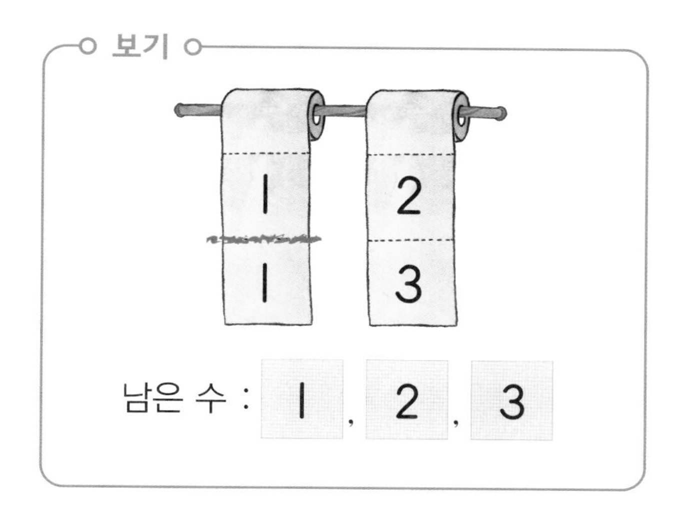

남은 수 : 1, 2, 3

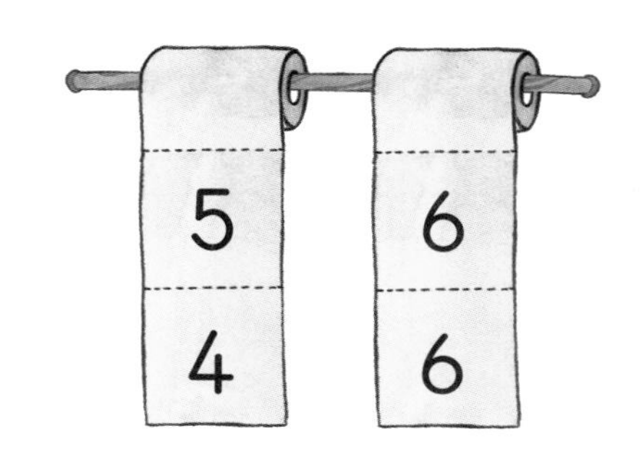

남은 수 : 4, 5, 6

남은 수 : 1, 2, 3, 4

남은 수 : 1, 2, 3, 4

남은 수 : 5, 6, 7, 8

주어진 수가 남도록 **2곳을 잘라** 보시오.

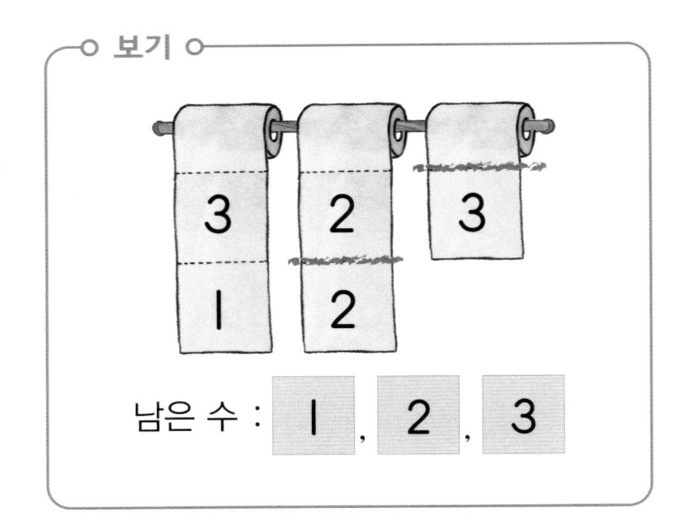

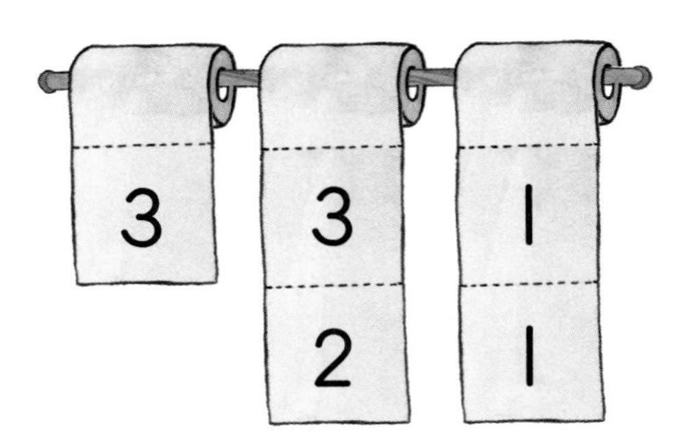

남은 수 : 1, 2, 3

남은 수 : 1, 2, 3, 4

남은 수 : 1, 2, 3, 4

1 3 2

3 4 2

남은 수 : 1, 2, 3, 4

남은 수 : 5, 6, 7

남은 수 : 5, 6, 7

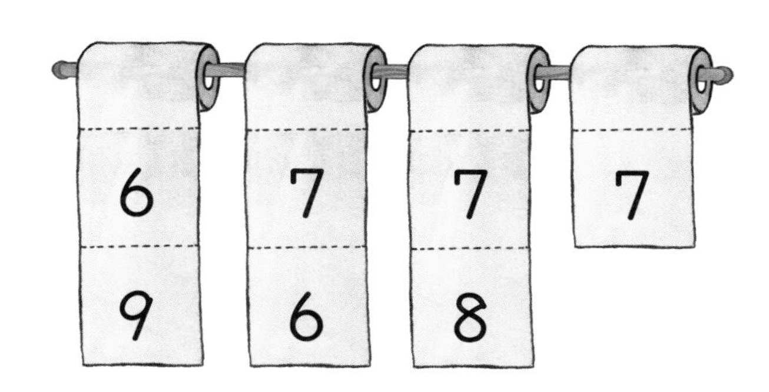

남은 수 : 6, 7, 8, 9

남은 수 : 6, 7, 8, 9

주어진 규칙에 따라 움직여 보물의 위치를 찾아보시오.

온라인 활동지 준비물 ▸ 붙임 딱지

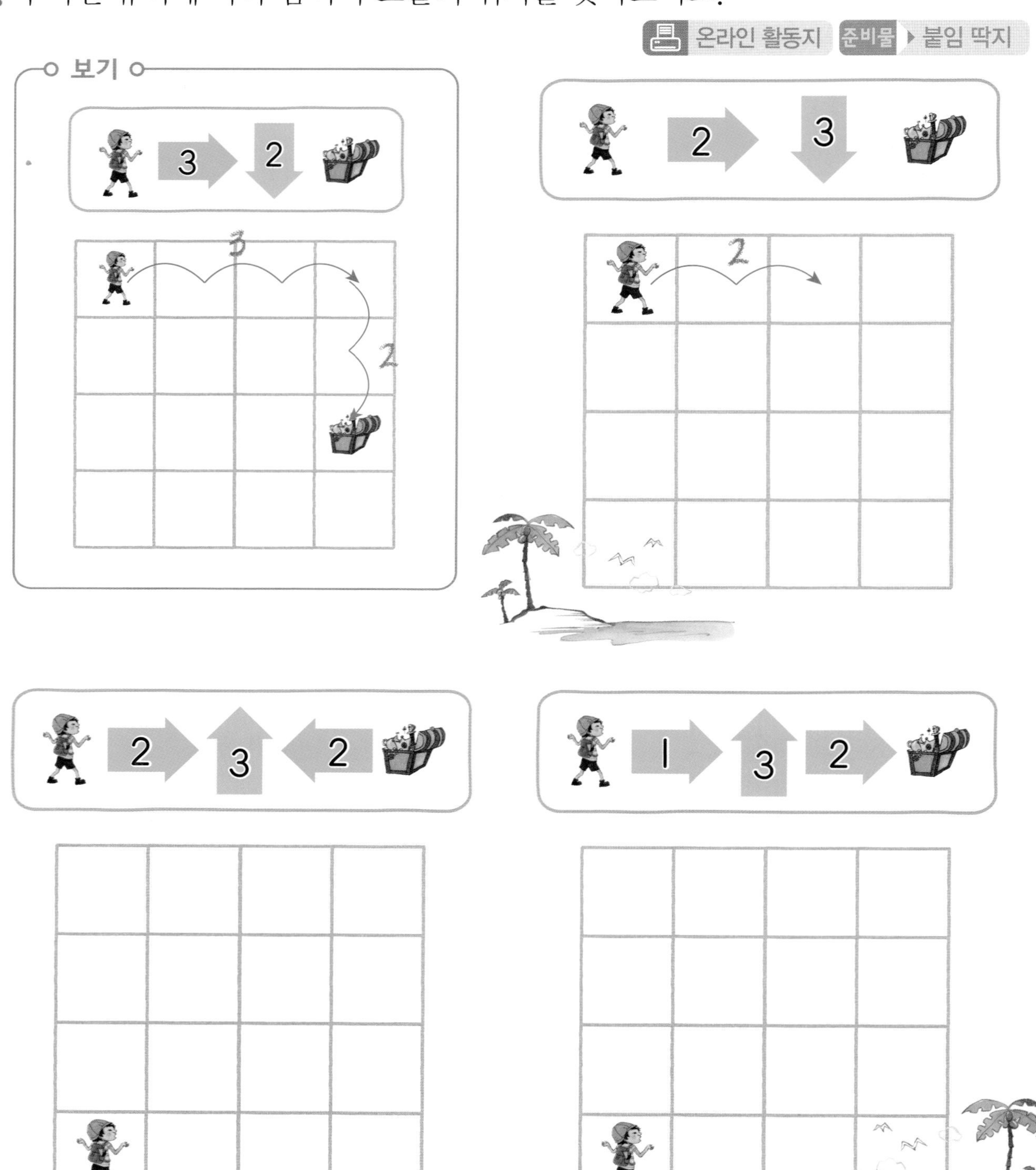

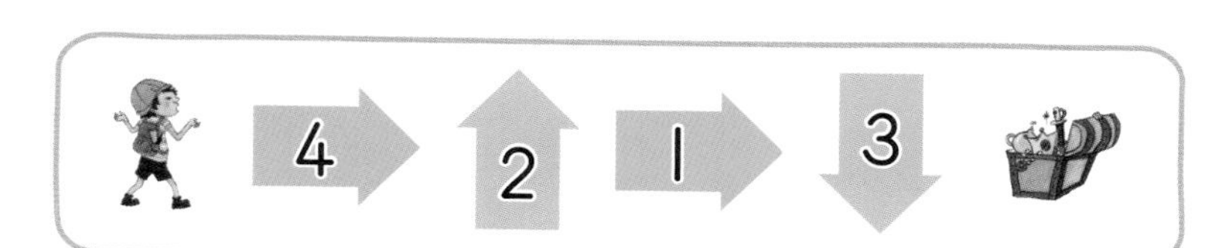
4
2
1
3

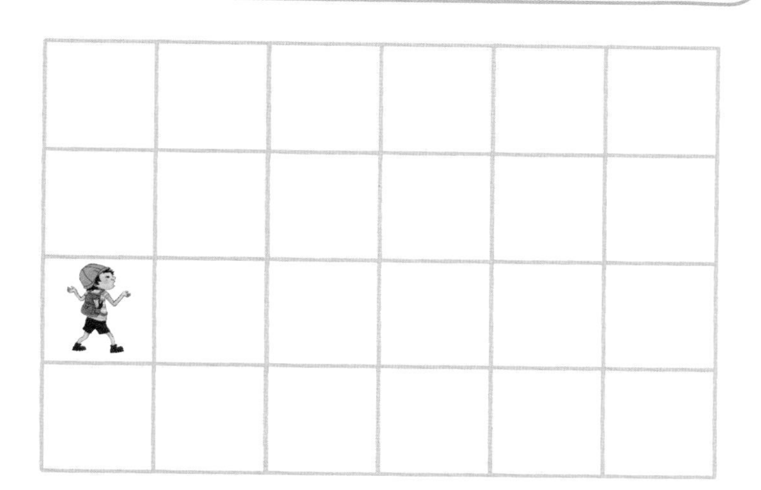

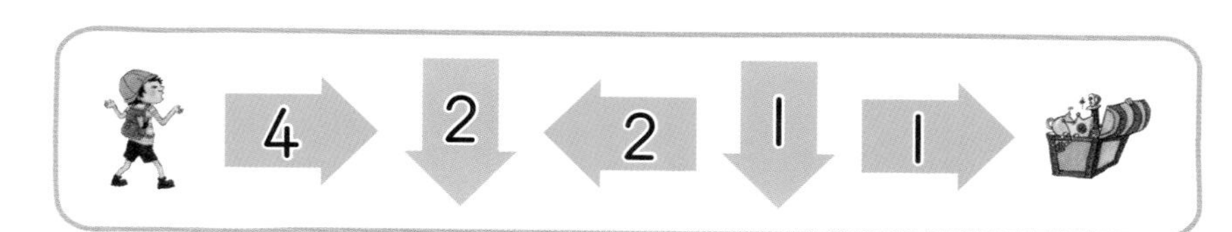
4
2
2
1
1

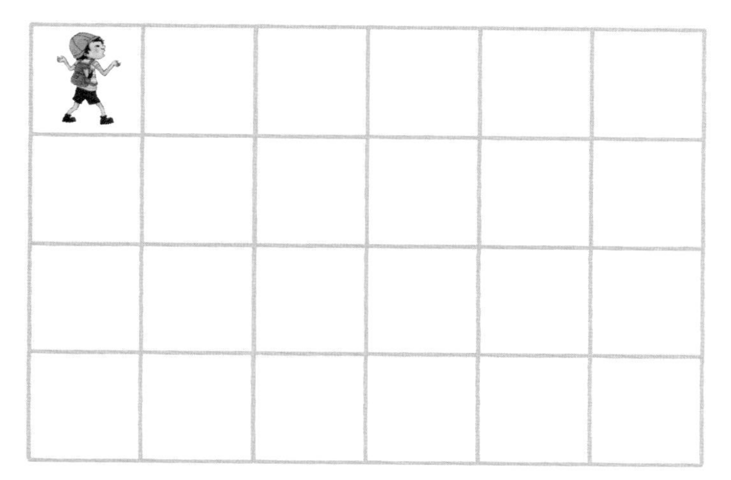

주어진 규칙에 따라 움직여 보물에 도착하였을 때, 출발한 위치를 찾아보시오.

온라인 활동지 준비물 ▸ 붙임 딱지

공부한 날
월
일

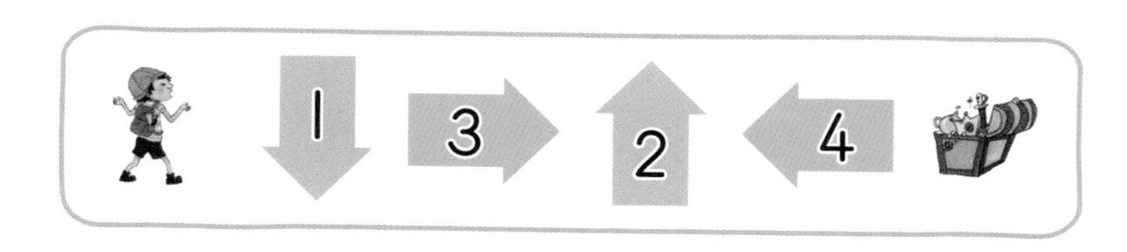
1
3
2
4

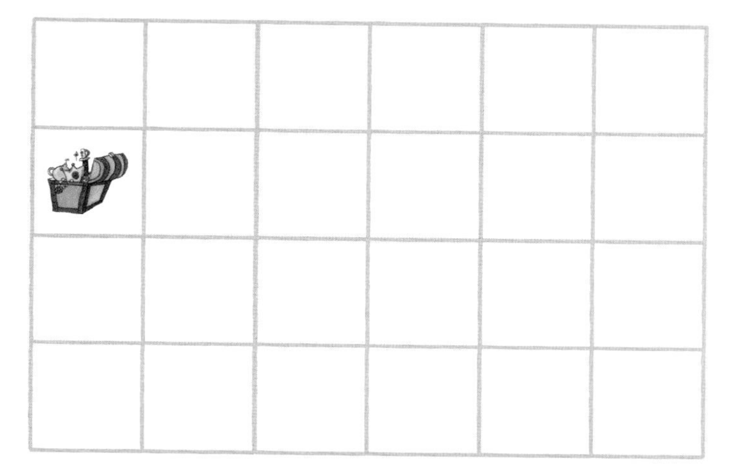

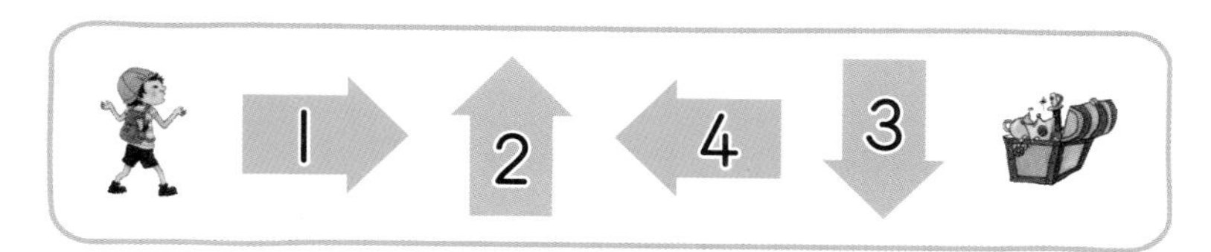
1
2
4
3

오늘은 얼마나 잘했을까요?
칭찬 붙임 딱지를
붙여 주세요!

memo

P01
정답

창밖에 흰눈이 펑펑 내리고 있는 겨울 밤이에요. 지연이는 열심히 크리스마스 트리를 장식하며 이번에는 꼭 산타클로스 할아버지가 오시길 기다리고 있는 것 같아요.
양말, 지팡이, 구슬, 종, ….
지연이가 달아야 할 장식은 각각 몇 개일까요?

1에서 5까지의 수를 학습하는 과정입니다. 구체물(물건, 음식 등)과 반구체물(●)의 개수를 세어 가며 1에서 5까지의 수를 반복하여 연습해 보세요. 수를 셀 때에는 마지막에 센 것이 전체 개수임을 알도록 지도해 주세요.

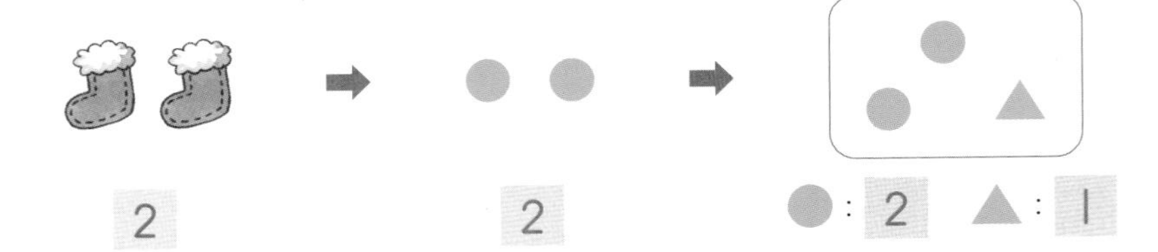

P 8 ~ 9

P 10 ~ 11

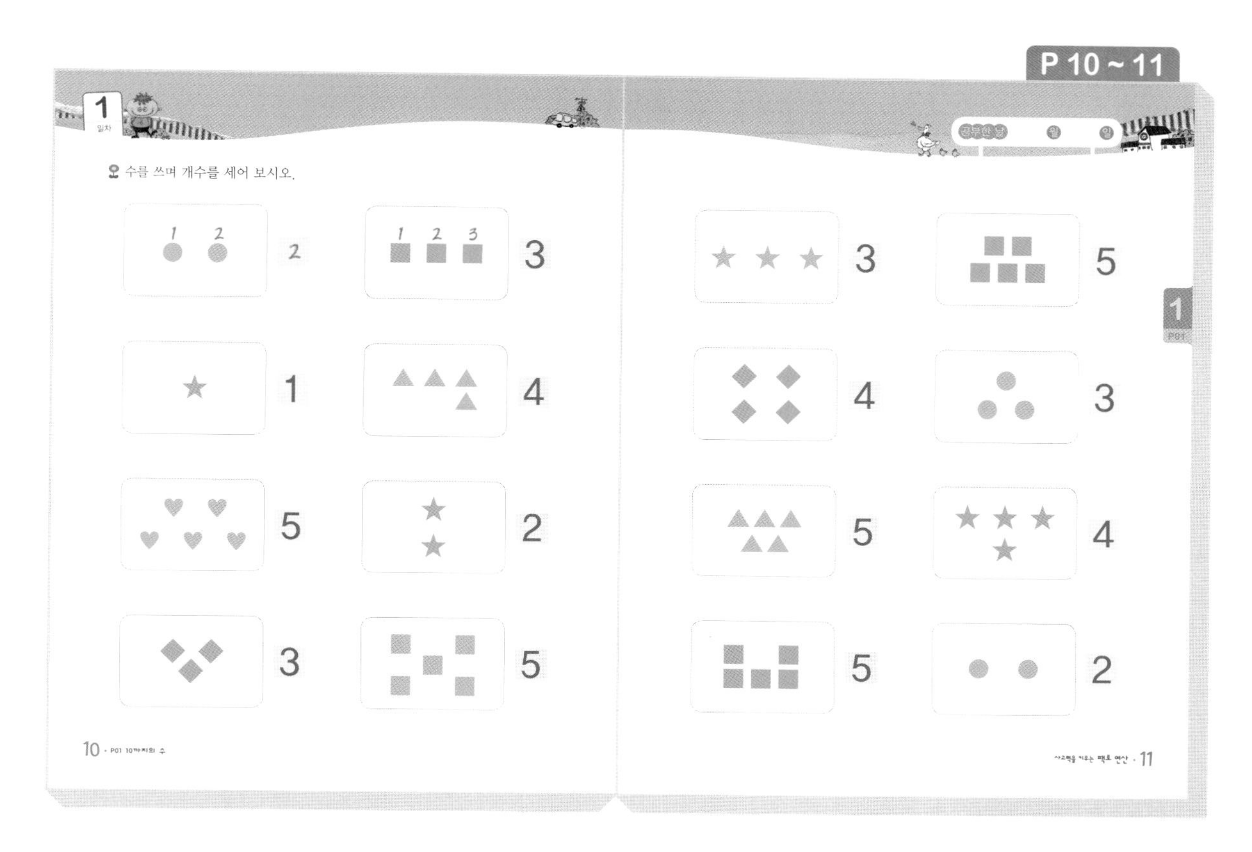
1
일차
수를 쓰며 개수를 세어 보시오.
1 2
2
1 2 3
3
1
4
5
2
3
5
3
5
4
3
5
4
5
2
10 · P01 10까지의 수
사고력을 키우는 팩토 연산 · 11

P 12 ~ 13

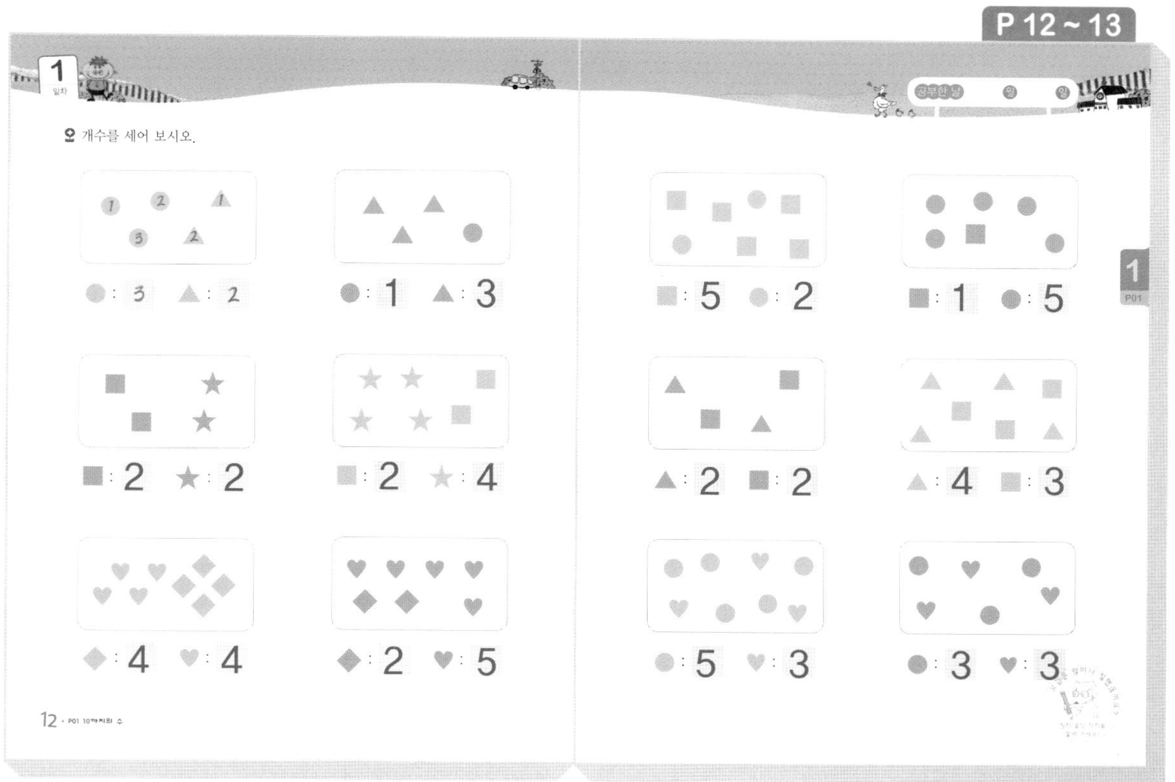
1
일차
개수를 세어 보시오.
: 3 : 2
: 1 : 3
: 2 : 2
: 2 : 4
: 4 : 4
: 2 : 5
: 5 : 2
: 1 : 5
: 2 : 2
: 4 : 3
: 5 : 3
: 3 : 3
12 · P01 10까지의 수

토끼와 두더지가 사는 숲 속에 추운 겨울이 왔네요. 땅 위에는 토끼 가족이 외출을 하여 흰 눈을 맞이하고 있고, 땅 속에는 두더지 가족이 옹기종기 모여 겨울 준비를 하고 있어요. 동물 친구들은 각각 몇 마리일까요?

1부터 9까지의 수를 학습하는 과정입니다. 점차 양이 많아지면서 중복해서 세거나 빼먹고 세는 경우가 있습니다. 스티커를 붙이거나 /표시를 하며 수를 셀 수 있도록 지도해 주세요. 계란판 모형은 9까지의 수를 머릿속으로 이미지화하여 수의 구조를 익히는데 큰 도움이 됩니다.

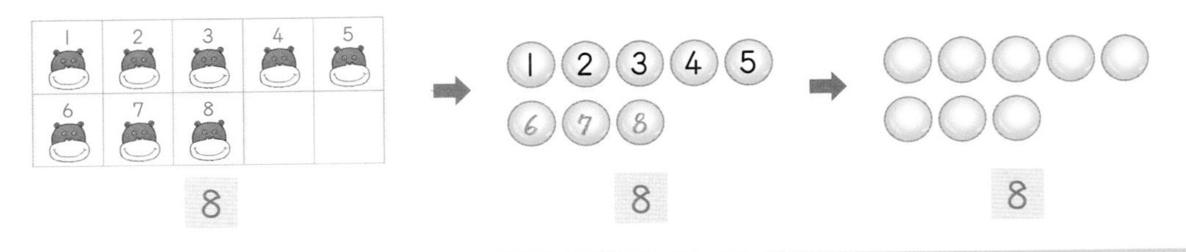

P 14 ~ 15

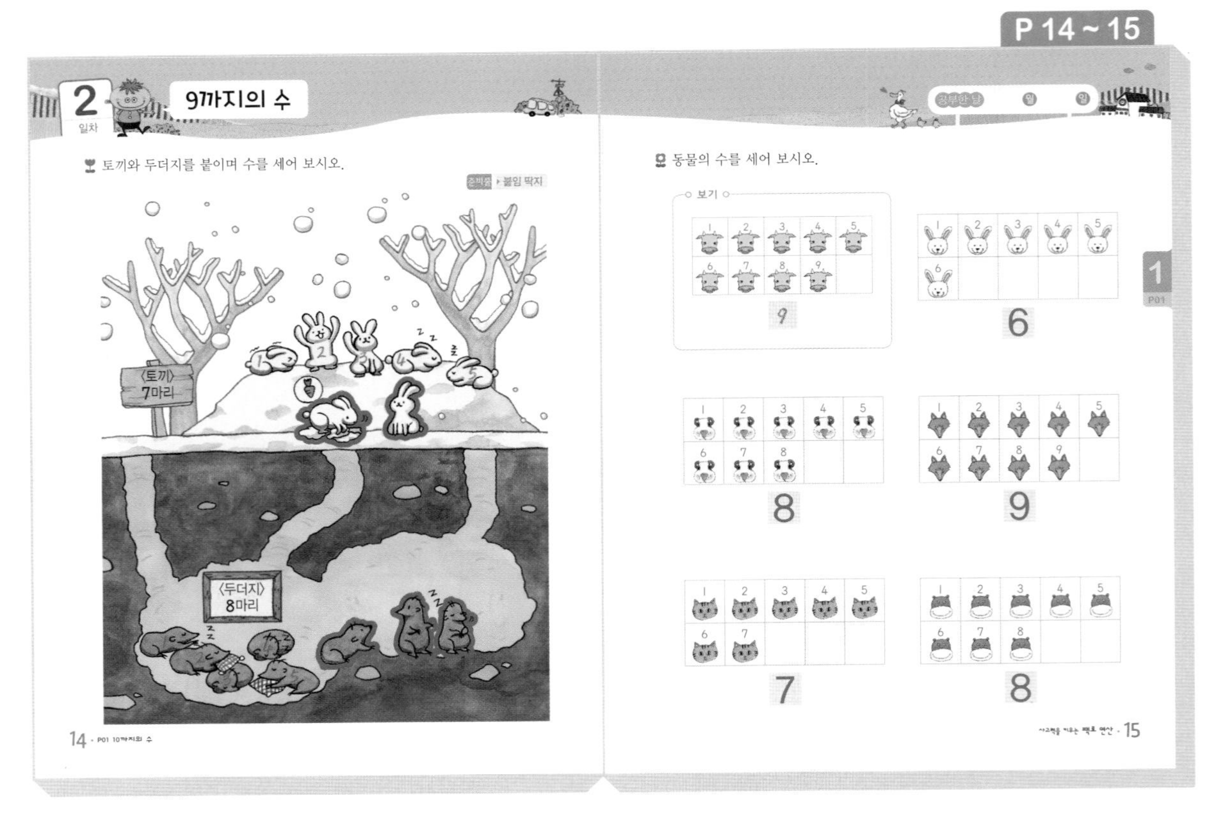

P 16 ~ 17

2 일차

개수를 세어 보시오.

6 7 8 9 7 8 6 9

7 9 6 8 9 6 7 8

P 18 ~ 19

2 일차

개수를 세어 보시오.

8 7 6 9 8 6 9 7

9 6 7 8 6 7 8 9

수지가 책 정리를 하고 있네요. 여기저기 방 안에 어질러진 책들이 보기가 안 좋았던 모양이에요. 수지는 손에 들고 있는 요리왕 5권을 어디에 꽂으려는 걸까요?
나머지 책들도 알맞은 자리에 꽂아 수지를 도와주세요.

1부터 9까지의 수의 순서를 학습하는 과정입니다. 수의 순서를 생각하며 비어 있는 곳에 알맞은 수를 찾는 활동은 1부터 9까지 수의 관계를 직관적으로 파악하게 해 줍니다.
아이가 찾기 힘들어 할 경우에는 다시 한번 1부터 9까지 수를 순서대로 세어 보게 하고, 익숙해지면 거꾸로 세어 보기도 해 보세요.

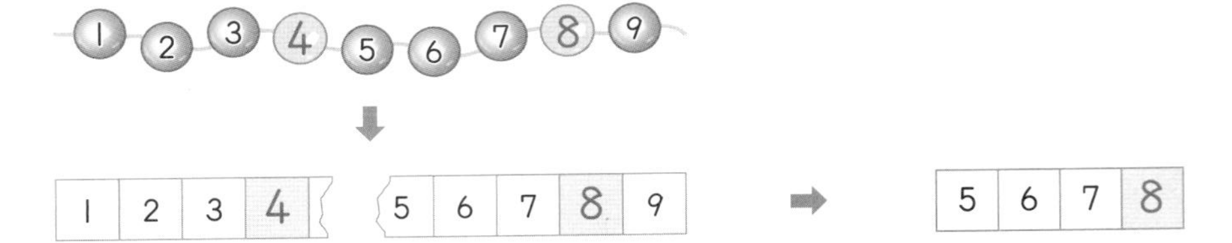

P 20 ~ 21

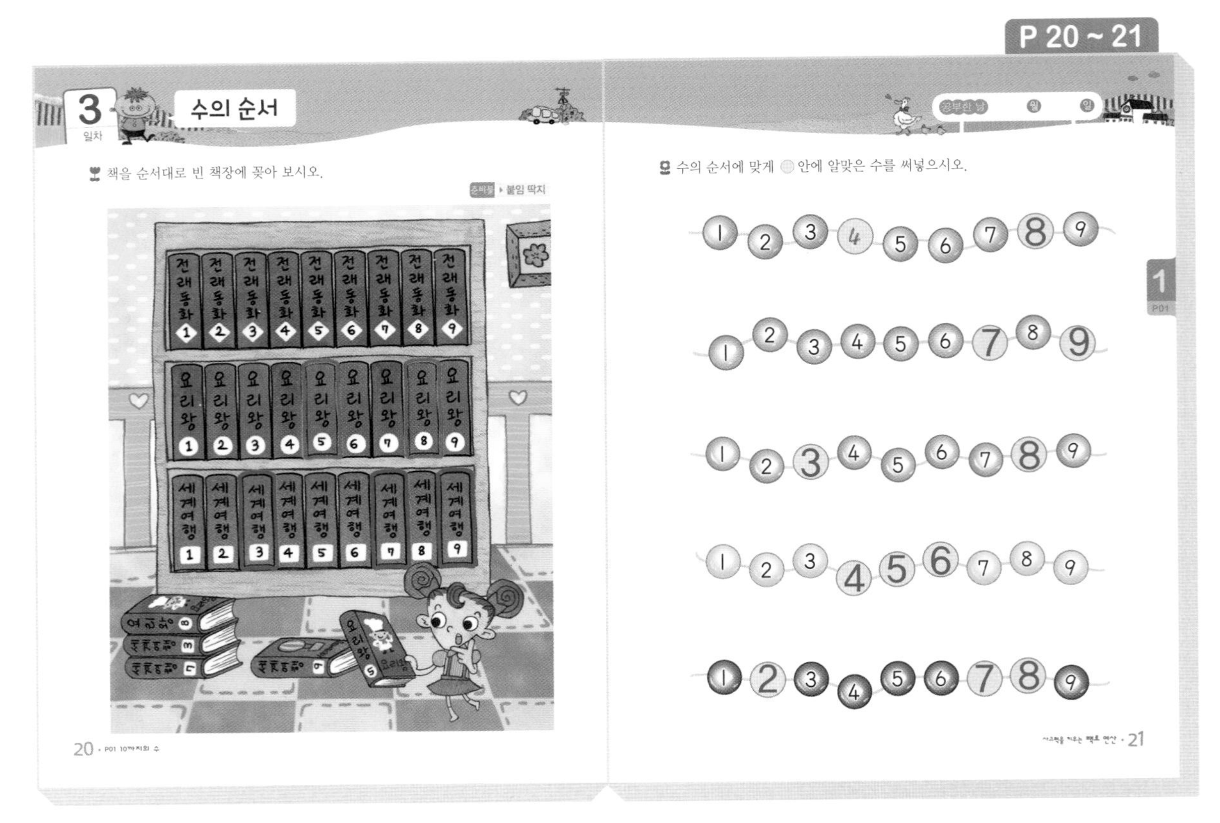

P 22 ~ 23

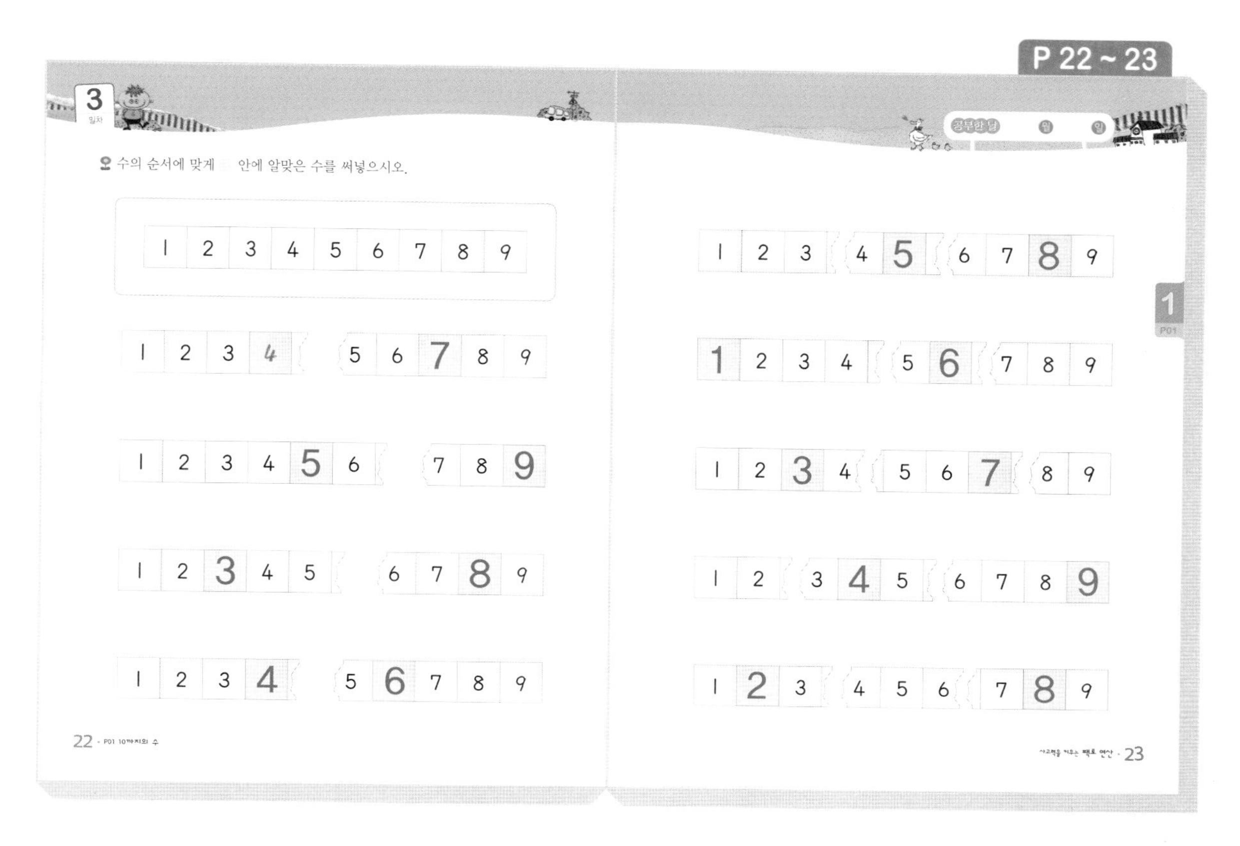
3 일차

수의 순서에 맞게 ☐ 안에 알맞은 수를 써넣으시오.

공부한 날 월 일

1 2 3 4 5 6 7 8 9

1 2 3 4 5 6 7 8 9

1 2 3 4 5 6 7 8 9

1 2 3 4 5 6 7 8 9

1 2 3 4 5 6 7 8 9

1 2 3 4 5 6 7 8 9

1 2 3 4 5 6 7 8 9

1 2 3 4 5 6 7 8 9

1 2 3 4 5 6 7 8 9

1 2 3 4 5 6 7 8 9

1 P01

22 · P01 10까지의 수

사고력을 키우는 팩토 연산 · 23

P 24 ~ 25

3 일차

수의 순서에 맞게 ☐ 안에 알맞은 수를 써넣으시오.

공부한 날 월 일

2 3 4 5 — 6 7 8 9

4 5 6 7 — 2 3 4 5

1 2 3 4 — 5 6 7 8

4 5 6 7 — 3 4 5 6

2 3 4 5 — 6 7 8 9

3 4 5 6 — 5 6 7 8

24 · P01 10까지의 수

6 7 8 9 — 1 2 3 4

5 6 7 8 — 3 4 5 6

4 5 6 7 — 6 7 8 9

1 2 3 4 — 2 3 4 5

5 6 7 8 — 6 7 8 9

3 4 5 6 — 4 5 6 7

1 P01

계절마다 나무의 모습이 변하고 있네요. 봄에는 파릇파릇 나뭇잎이 하나, 둘, … 돋아나고, 가을에는 거센 바람에 나뭇잎이 힘없이 하나, 둘,… 떨어져요.
봄과 가을에 나뭇잎의 수가 어떻게 변하는지 각각 세어서 알아볼까요?

3일차까지 배운 수의 양과 수의 순서를 이용하여 10까지의 1 큰 수, 1 작은 수를 학습하는 과정입니다. 9보다 1 큰 수로서 10을, 1보다 1 작은 수로서 0을 도입합니다.
소리내어 1부터 10까지의 수를 순서대로 읽는(일, 이, 삼, …) 연습을 해 주세요.

P 26 ~ 27

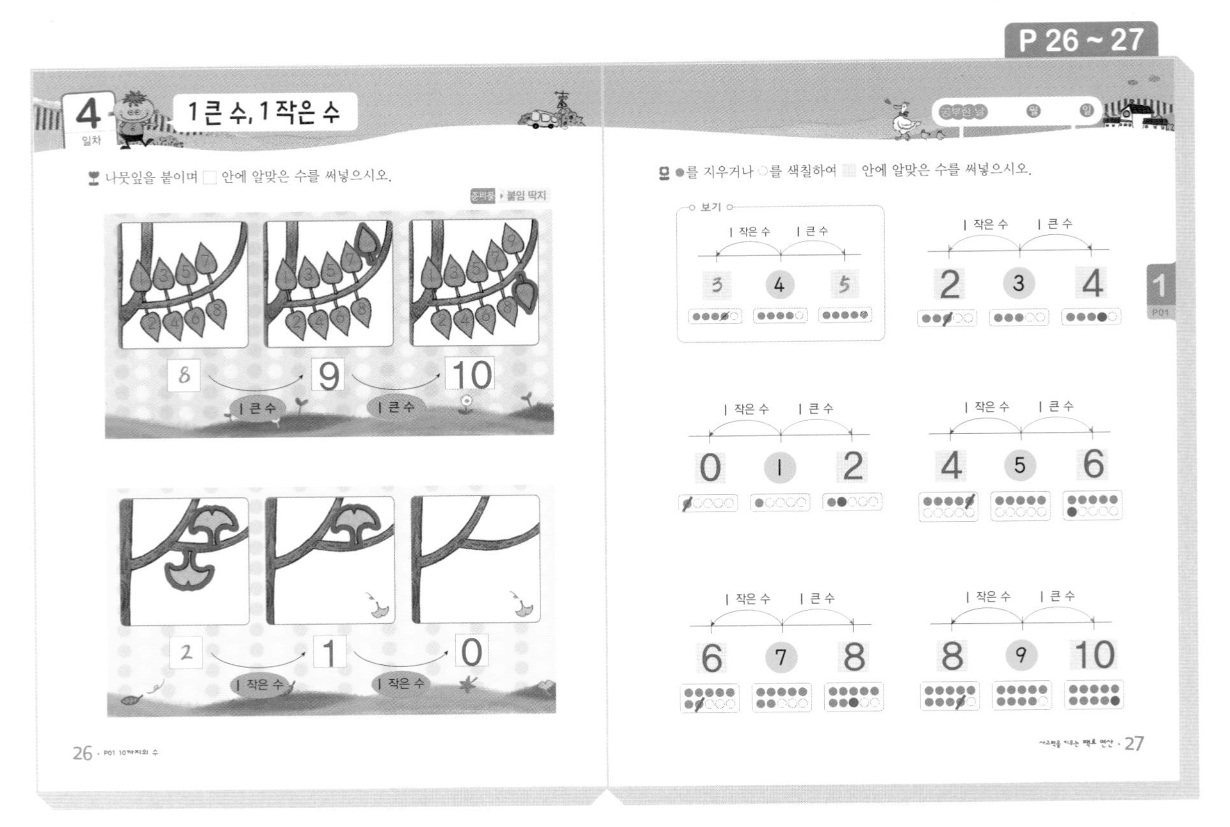

P 28 ~ 29

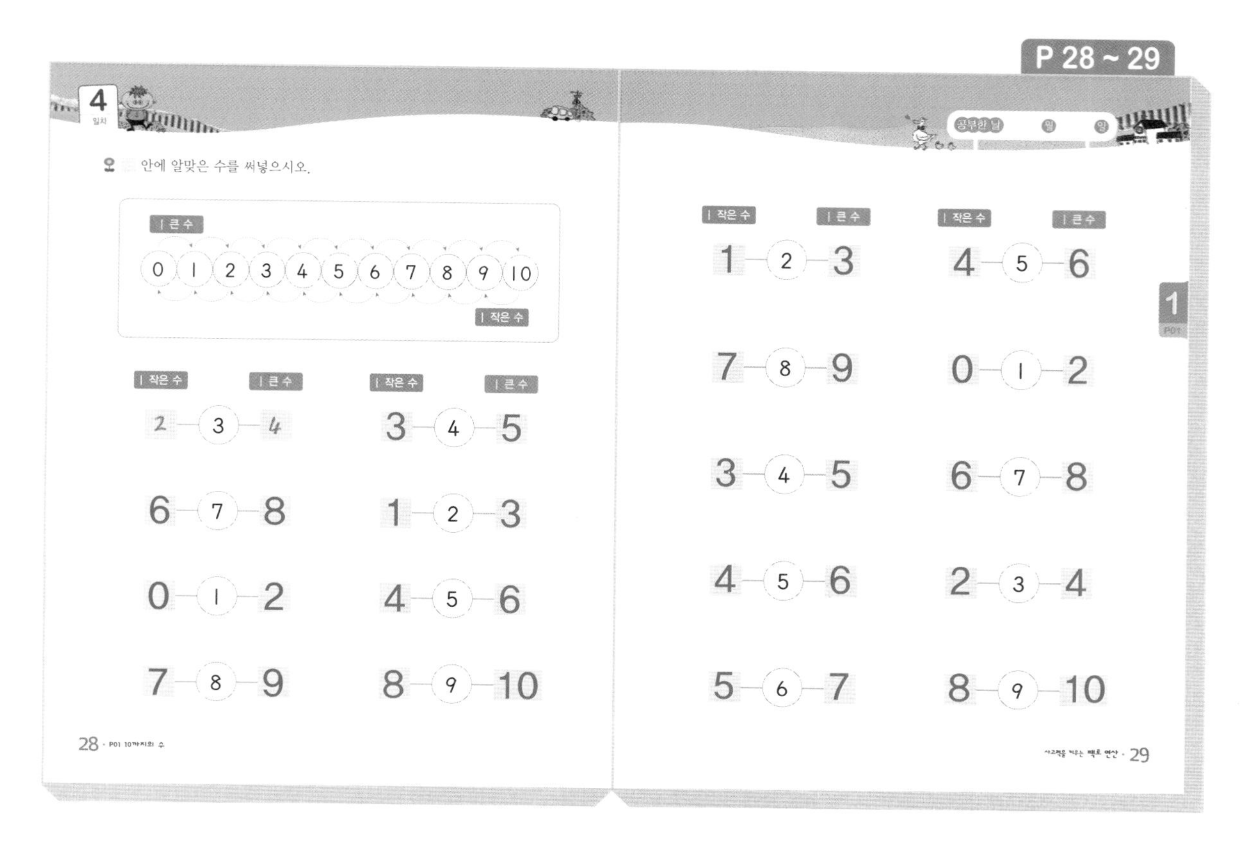
4
일차
안에 알맞은 수를 써넣으시오.
1 큰 수
0 1 2 3 4 5 6 7 8 9 10
1 작은 수
1 작은 수
1 큰 수
2 3 4
3 4 5
6 7 8
1 2 3
0 1 2
4 5 6
7 8 9
8 9 10
28 · P01 10까지의 수
공부한 날 월 일
1 2 3
4 5 6
7 8 9
0 1 2
3 4 5
6 7 8
4 5 6
2 3 4
5 6 7
8 9 10
사고력을 키우는 팩토 연산 · 29

P 30 ~ 31

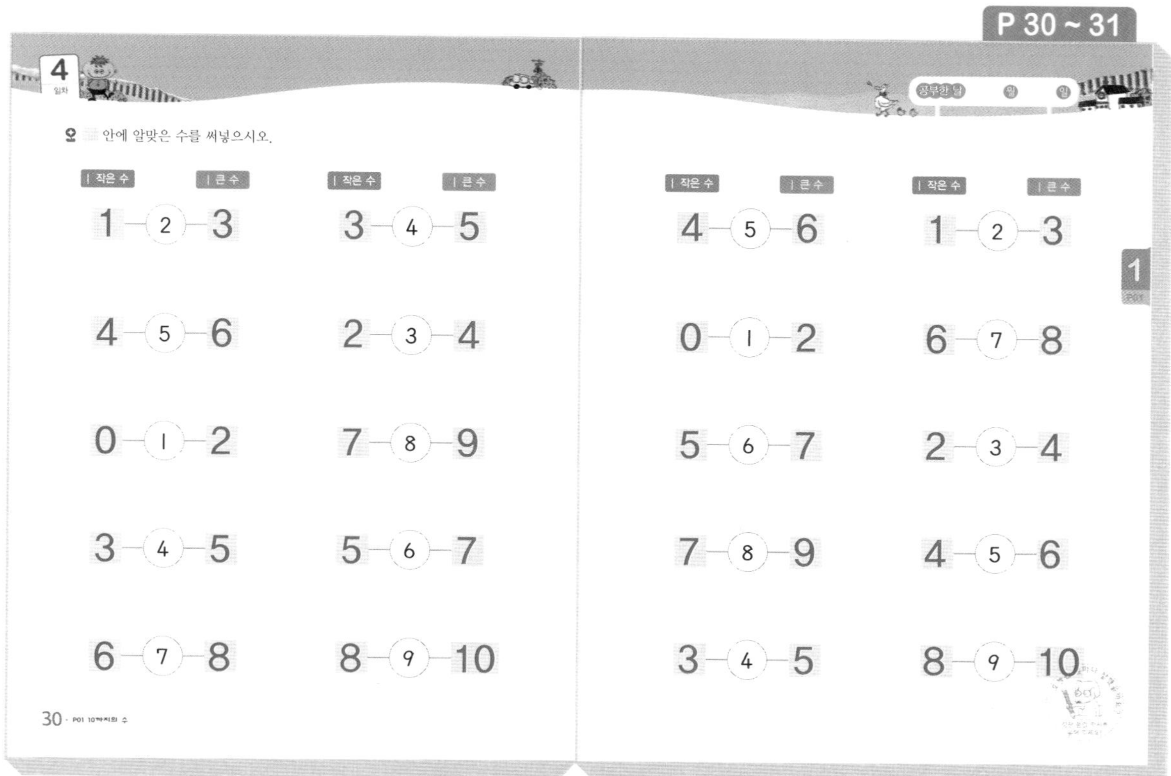
4
일차
안에 알맞은 수를 써넣으시오.
1 작은 수
1 큰 수
1 2 3
3 4 5
4 5 6
2 3 4
0 1 2
7 8 9
3 4 5
5 6 7
6 7 8
8 9 10
30 · P01 10까지의 수
공부한 날 월 일
4 5 6
1 2 3
0 1 2
6 7 8
5 6 7
2 3 4
7 8 9
4 5 6
3 4 5
8 9 10

배고픈 여우가 나무 위에 올라가 새알을 훔쳐 먹으려고 하네요. 마침 집으로 돌아오던 어미새가 이것을 보고 말았어요. 놀란 어미새는 소리를 지르며 날개를 파드닥거려 보지만 여우는 끄떡없어요. 욕심쟁이 여우는 과연 어느 둥지의 새알을 먹으려고 입을 벌릴까요?

10까지의 수의 크기를 비교하는 과정입니다. 수를 비교할 때에는 개수를 모두 세어 비교할 수도 있지만, 계란판의 이미지를 떠올려 배열된 모양에 의해 직관적으로 ●의 수가 많고 적음을 판단할 수 있도록 지도해 주세요.

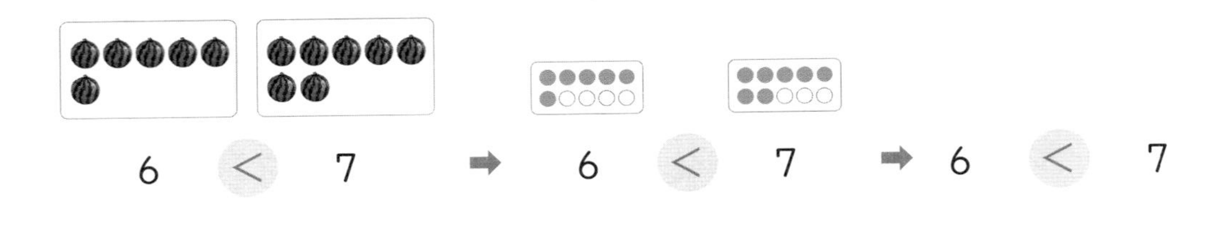

P 32 ~ 33

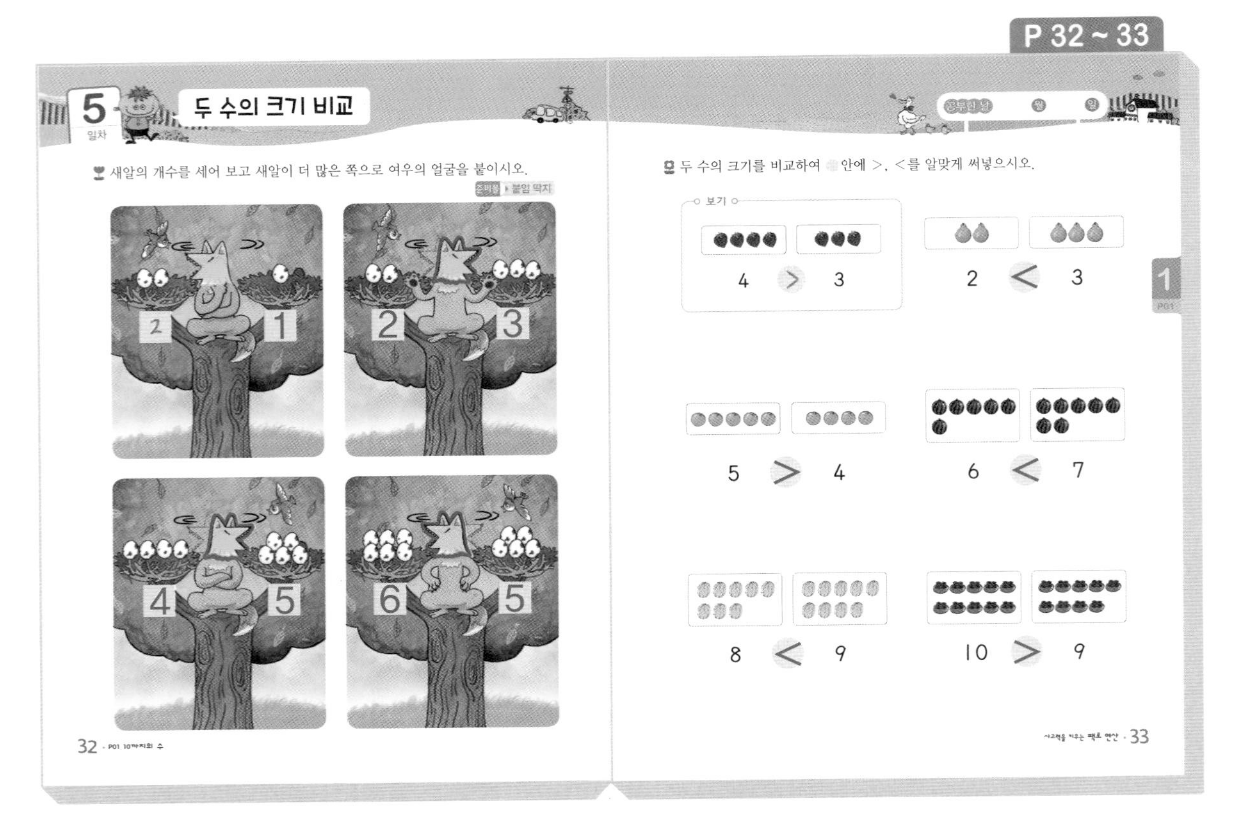

P 34 ~ 35

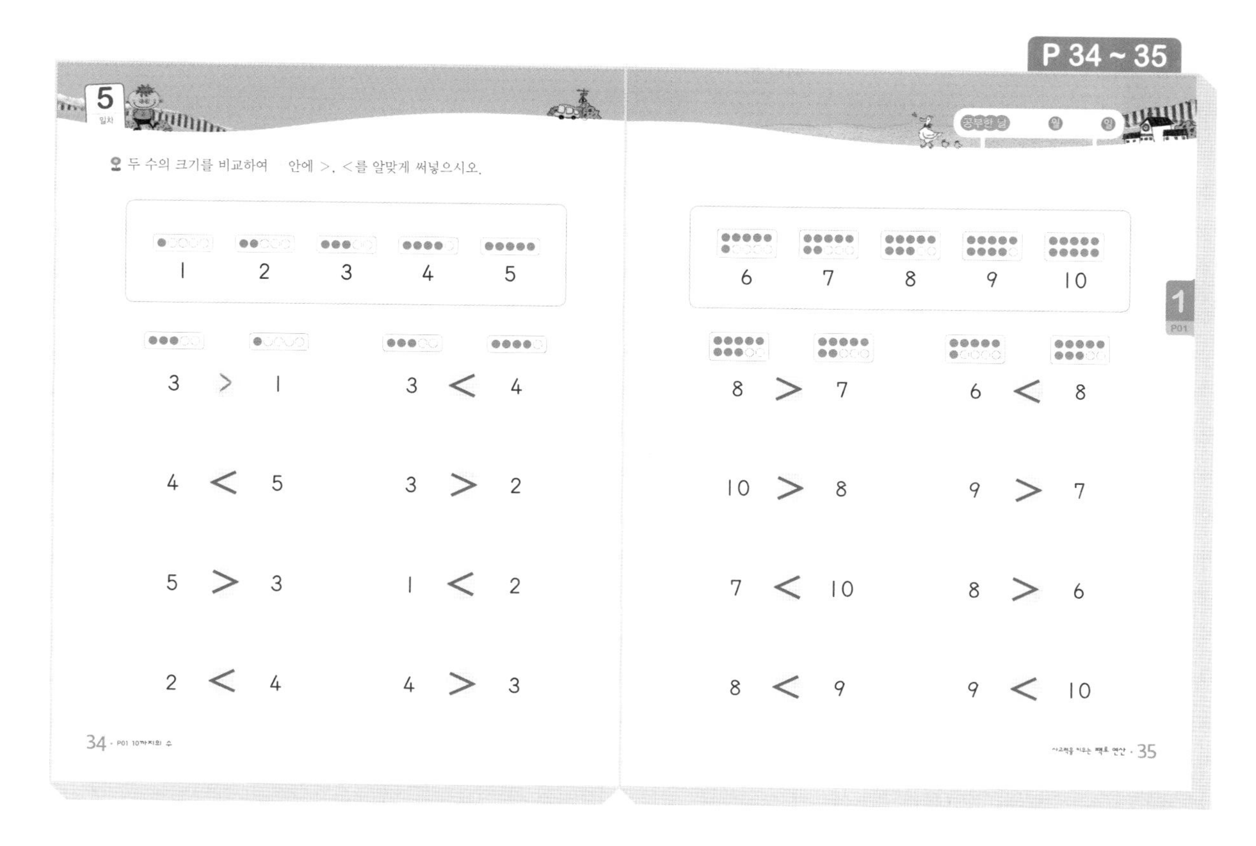

5 일차

두 수의 크기를 비교하여 안에 >, <를 알맞게 써넣으시오.

1 2 3 4 5

3 > 1 | 3 < 4

4 < 5 | 3 > 2

5 > 3 | 1 < 2

2 < 4 | 4 > 3

34 · P01 10까지의 수

공부한 날 월 일

6 7 8 9 10

8 > 7 | 6 < 8

10 > 8 | 9 > 7

7 < 10 | 8 > 6

8 < 9 | 9 < 10

사고력을 키우는 팩토 연산 · 35

P 36 ~ 37

5 일차

두 수의 크기를 비교하여 안에 >, <를 알맞게 써넣으시오.

2 < 3 | 4 > 3

5 > 2 | 0 < 1

9 < 10 | 7 < 8

6 > 4 | 6 > 5

8 < 9 | 8 < 10

10 > 9 | 9 > 6

36 · P01 10까지의 수

공부한 날 월 일

3 < 5 | 8 > 6

4 < 8 | 6 < 7

8 > 7 | 2 < 6

7 < 9 | 3 > 1

9 > 8 | 7 < 8

5 < 7 | 9 < 10

P 38 ~ 39

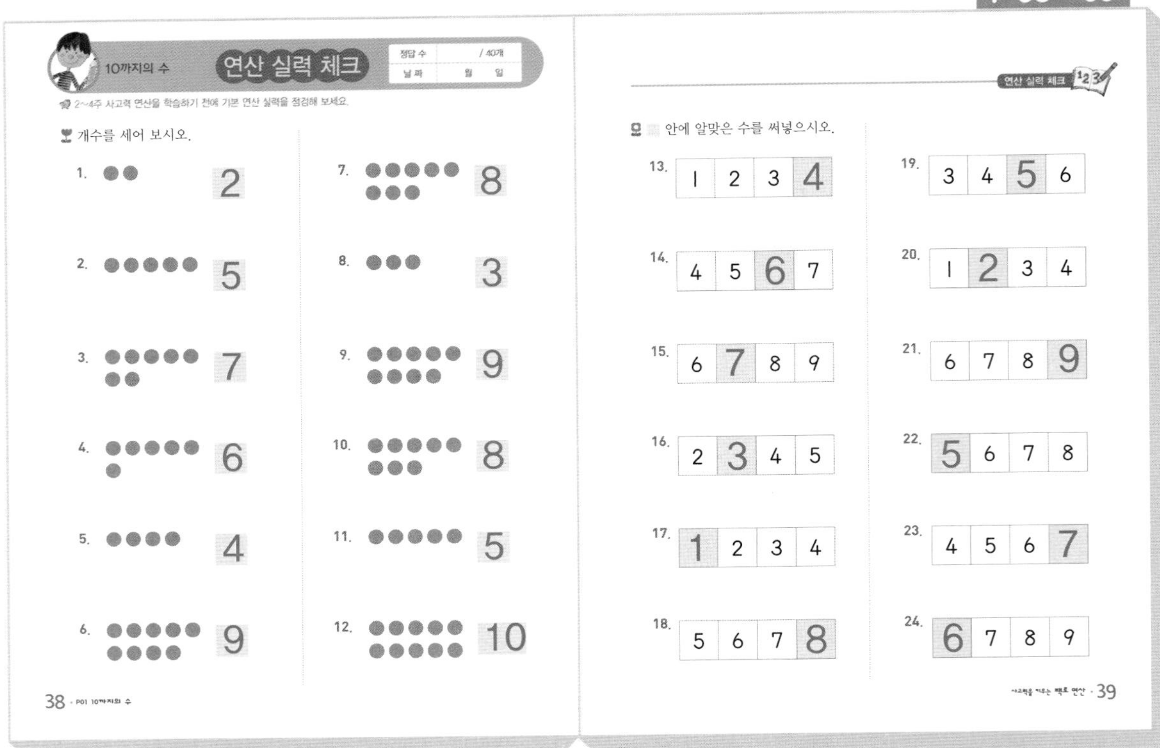

10까지의 수 연산 실력 체크

정답 수	/ 40개
날 짜	월 일

2~4주 사고력 연산을 학습하기 전에 기본 연산 실력을 점검해 보세요.

개수를 세어 보시오.

1. ●● 2
2. ●●●●● 5
3. ●●●●●●● 7
4. ●●●●●● 6
5. ●●●● 4
6. ●●●●●●●●● 9
7. ●●●●●●●● 8
8. ●●● 3
9. ●●●●●●●●● 9
10. ●●●●●●●● 8
11. ●●●●● 5
12. ●●●●●●●●●● 10

38 · P01 10까지의 수

연산 실력 체크

□ 안에 알맞은 수를 써넣으시오.

13. 1 2 3 4
14. 4 5 6 7
15. 6 7 8 9
16. 2 3 4 5
17. 1 2 3 4
18. 5 6 7 8
19. 3 4 5 6
20. 1 2 3 4
21. 6 7 8 9
22. 5 6 7 8
23. 4 5 6 7
24. 6 7 8 9

사고력을 키우는 팩토 연산 · 39

P 40 ~ 41

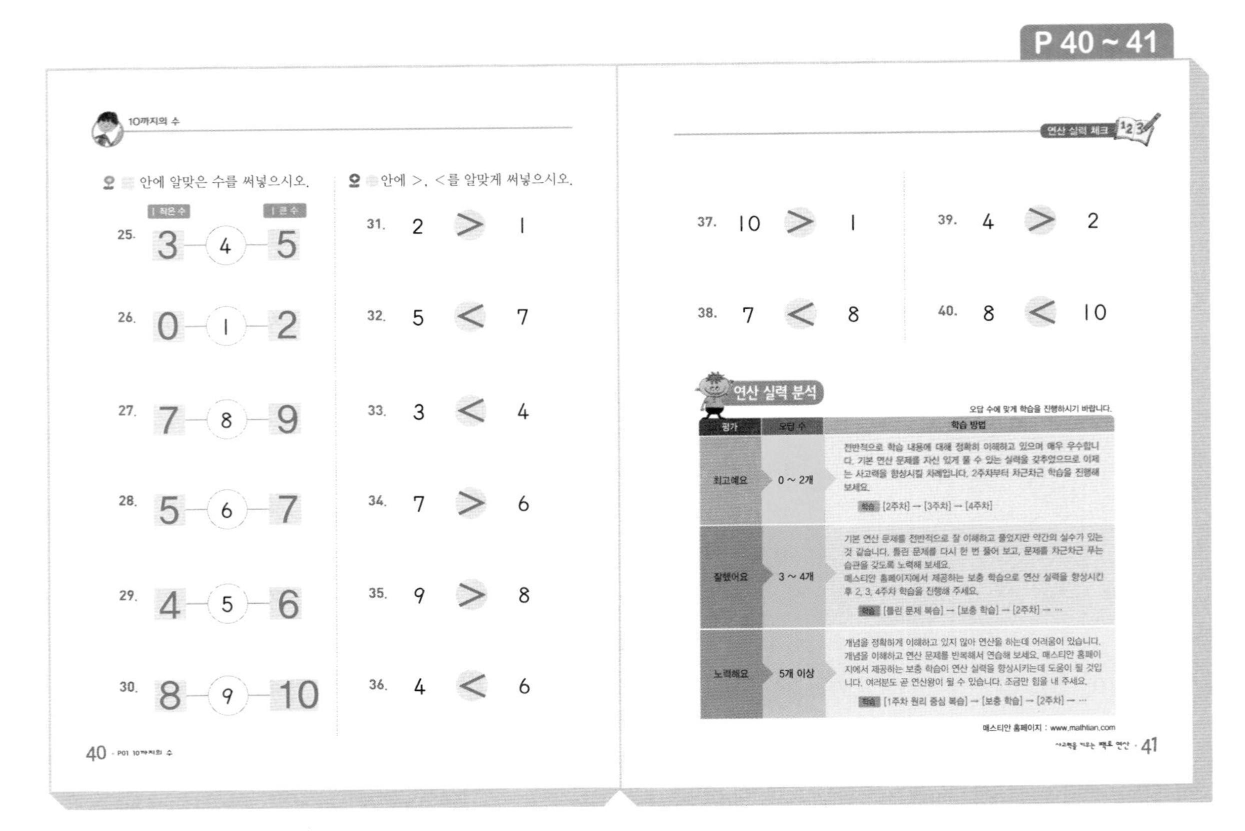

10까지의 수

□ 안에 알맞은 수를 써넣으시오.

1 작은 수 / 1 큰 수

25. 3 — 4 — 5
26. 0 — 1 — 2
27. 7 — 8 — 9
28. 5 — 6 — 7
29. 4 — 5 — 6
30. 8 — 9 — 10

○ 안에 >, <를 알맞게 써넣으시오.

31. 2 > 1
32. 5 < 7
33. 3 < 4
34. 7 > 6
35. 9 > 8
36. 4 < 6

40 · P01 10까지의 수

연산 실력 체크

37. 10 > 1
38. 7 < 8
39. 4 > 2
40. 8 < 10

연산 실력 분석

오답 수에 맞게 학습을 진행하시기 바랍니다.

평가	오답 수	학습 방법
최고예요	0 ~ 2개	전반적으로 학습 내용에 대해 정확히 이해하고 있으며 매우 우수합니다. 기본 연산 문제를 자신 있게 풀 수 있는 실력을 갖추었으므로 이제는 사고력을 향상시킬 차례입니다. 2주차부터 차근차근 학습을 진행해 보세요. 학습 [2주차] → [3주차] → [4주차]
잘했어요	3 ~ 4개	기본 연산 문제를 전반적으로 잘 이해하고 풀었지만 약간의 실수가 있는 것 같습니다. 틀린 문제를 다시 한 번 풀어 보고, 문제를 차근차근 푸는 습관을 갖도록 노력해 보세요. 매스티안 홈페이지에서 제공하는 보충 학습으로 연산 실력을 향상시킨 후 2, 3, 4주차 학습을 진행해 주세요. 학습 [틀린 문제 복습] → [보충 학습] → [2주차] → …
노력해요	5개 이상	개념을 정확하게 이해하고 있지 않아 연산을 하는데 어려움이 있습니다. 개념을 이해하고 연산 문제를 반복해서 연습해 보세요. 매스티안 홈페이지에서 제공하는 보충 학습이 연산 실력을 향상시키는데 도움이 될 것입니다. 여러분도 곧 연산왕이 될 수 있습니다. 조금만 힘을 내 주세요. 학습 [1주차 원리 중심 복습] → [보충 학습] → [2주차] → …

매스티안 홈페이지 : www.mathtian.com

사고력을 키우는 팩토 연산 · 41

P 44 ~ 45

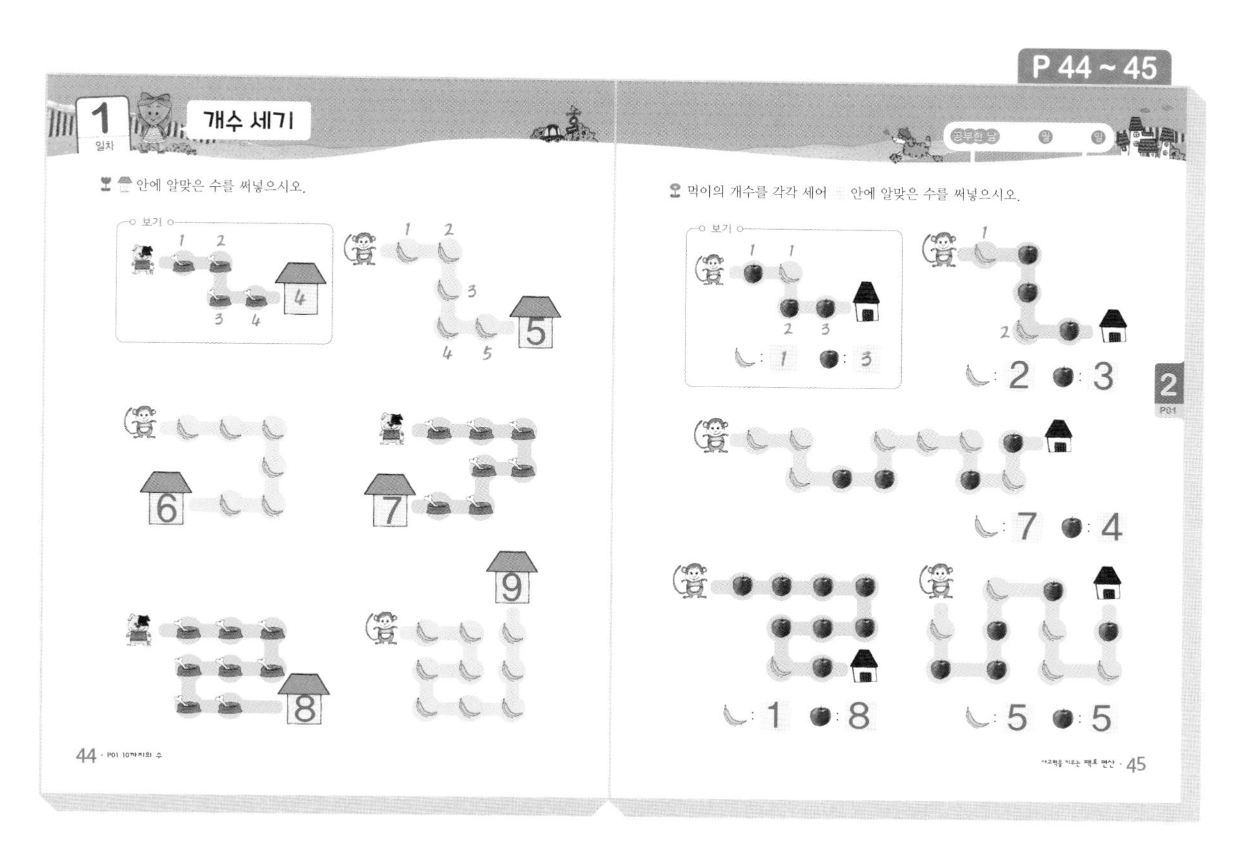
1 일차 개수 세기
안에 알맞은 수를 써넣으시오.
보기
먹이의 개수를 각각 세어 안에 알맞은 수를 써넣으시오.
: 2 : 3
: 7 : 4
: 1 : 8
: 5 : 5
44 · P01 10까지의 수
사고력을 키우는 팩토 연산 · 45

P 46 ~ 47

1 일차
안에 알맞은 개수의 붙임 딱지를 붙여 보시오.
준비물 붙임 딱지
보기
안에 알맞은 수를 써넣으시오.
: 3 : 2 : 4 : 6
: 1 : 5 : 10
46 · P01 10까지의 수

P 48 ~ 49

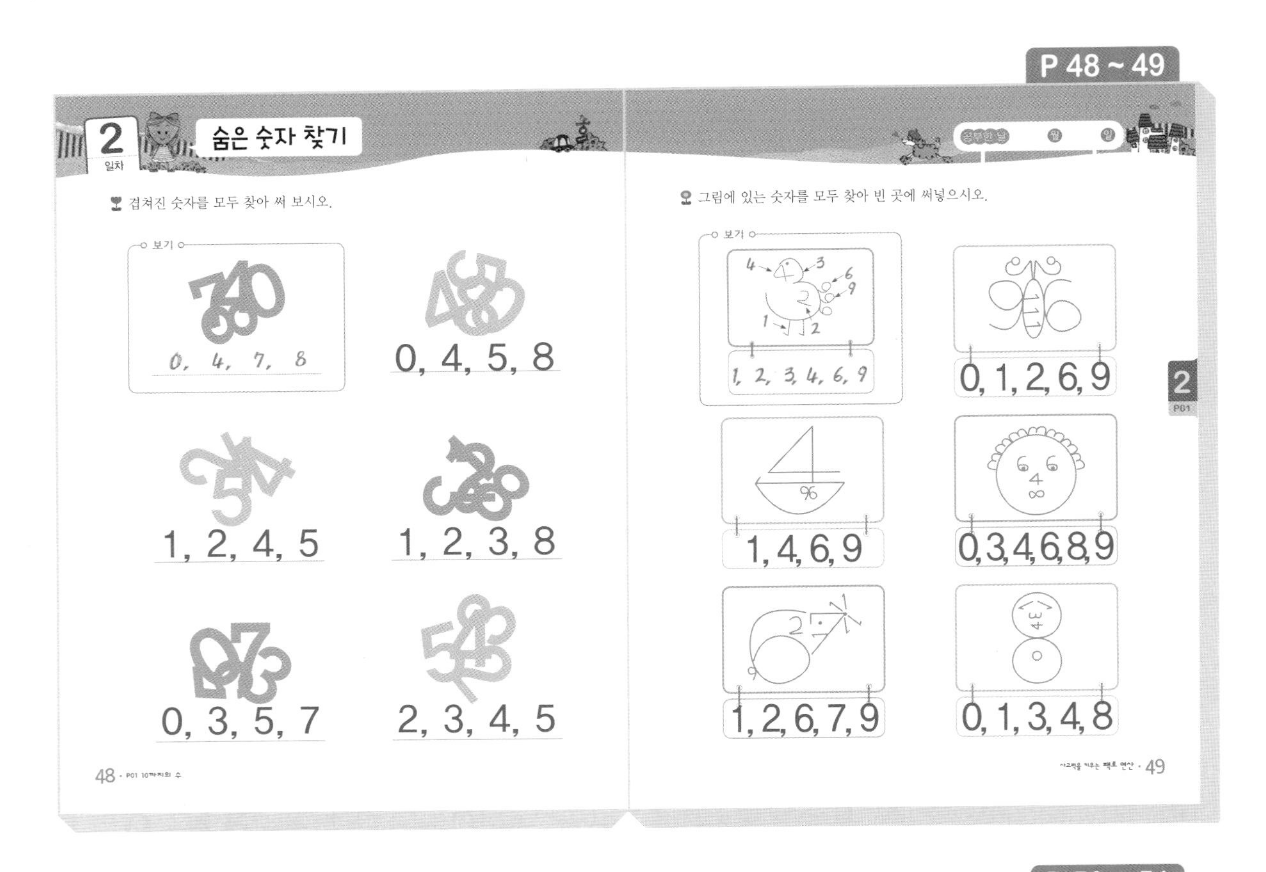
2 일차
숨은 숫자 찾기
겹쳐진 숫자를 모두 찾아 써 보시오.
보기
0, 4, 7, 8
0, 4, 5, 8
1, 2, 4, 5
1, 2, 3, 8
0, 3, 5, 7
2, 3, 4, 5
48
그림에 있는 숫자를 모두 찾아 빈 곳에 써넣으시오.
1, 2, 3, 4, 6, 9
0, 1, 2, 6, 9
1, 4, 6, 9
0, 3, 4, 6, 8, 9
1, 2, 6, 7, 9
0, 1, 3, 4, 8
49

P 50 ~ 51

숫자의 일부분을 보고 어떤 숫자인지 안에 써넣으시오.
0 1 2 3 4 5 6 7 8 9
4
9
5
7
2
3
50
0부터 9까지의 숫자를 모두 찾아 ○표 하시오.

P01 정답

P 52 ~ 53

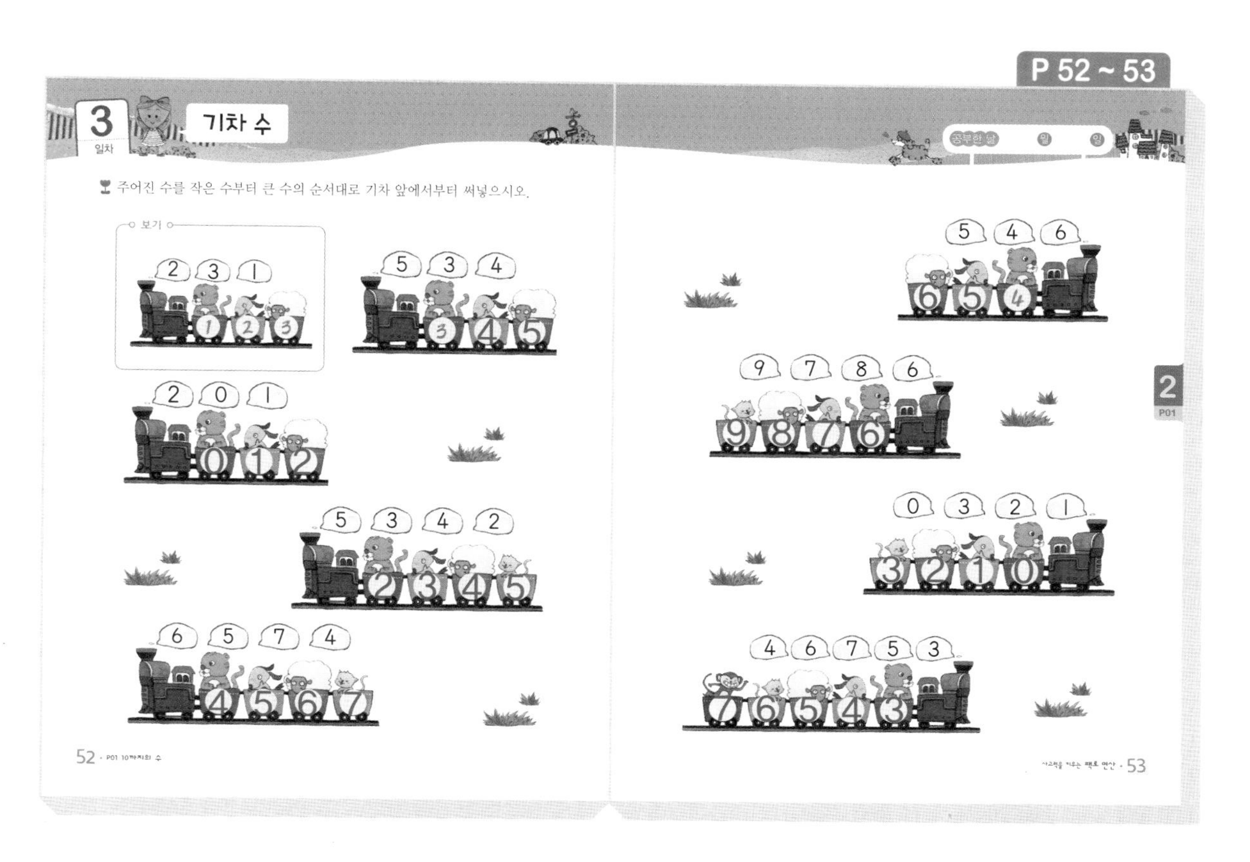

P 54 ~ 55

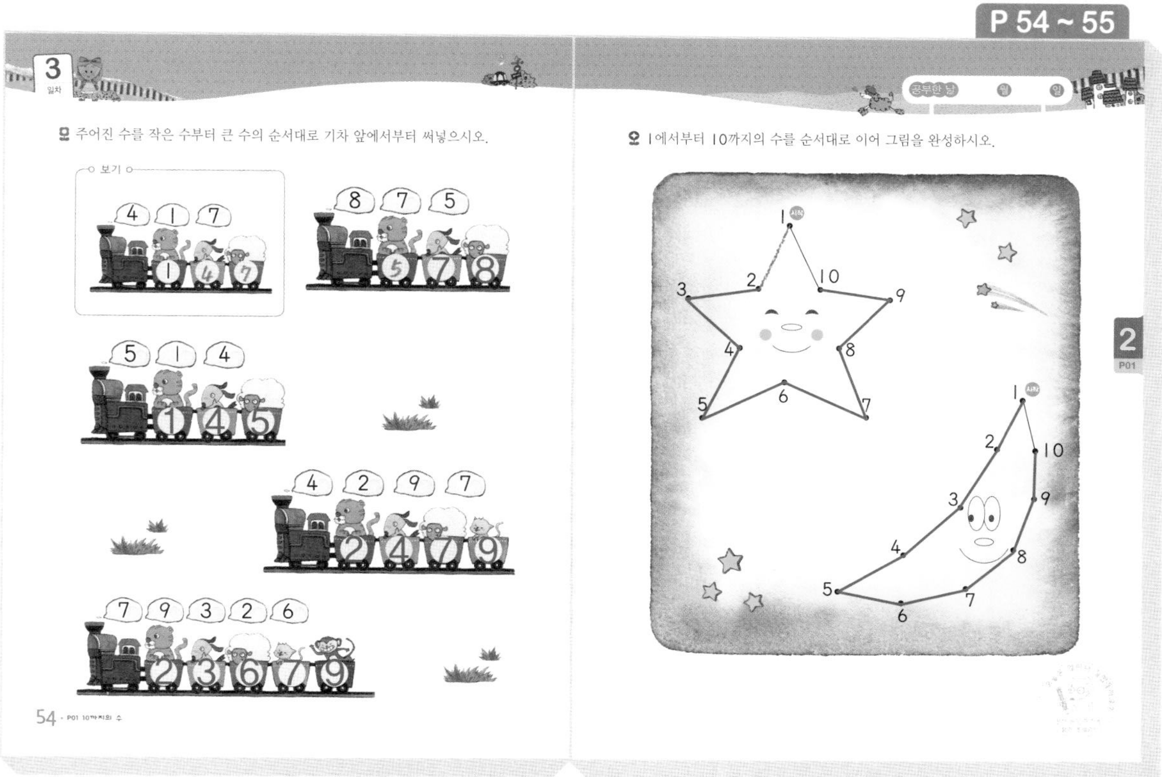

P 56 ~ 57

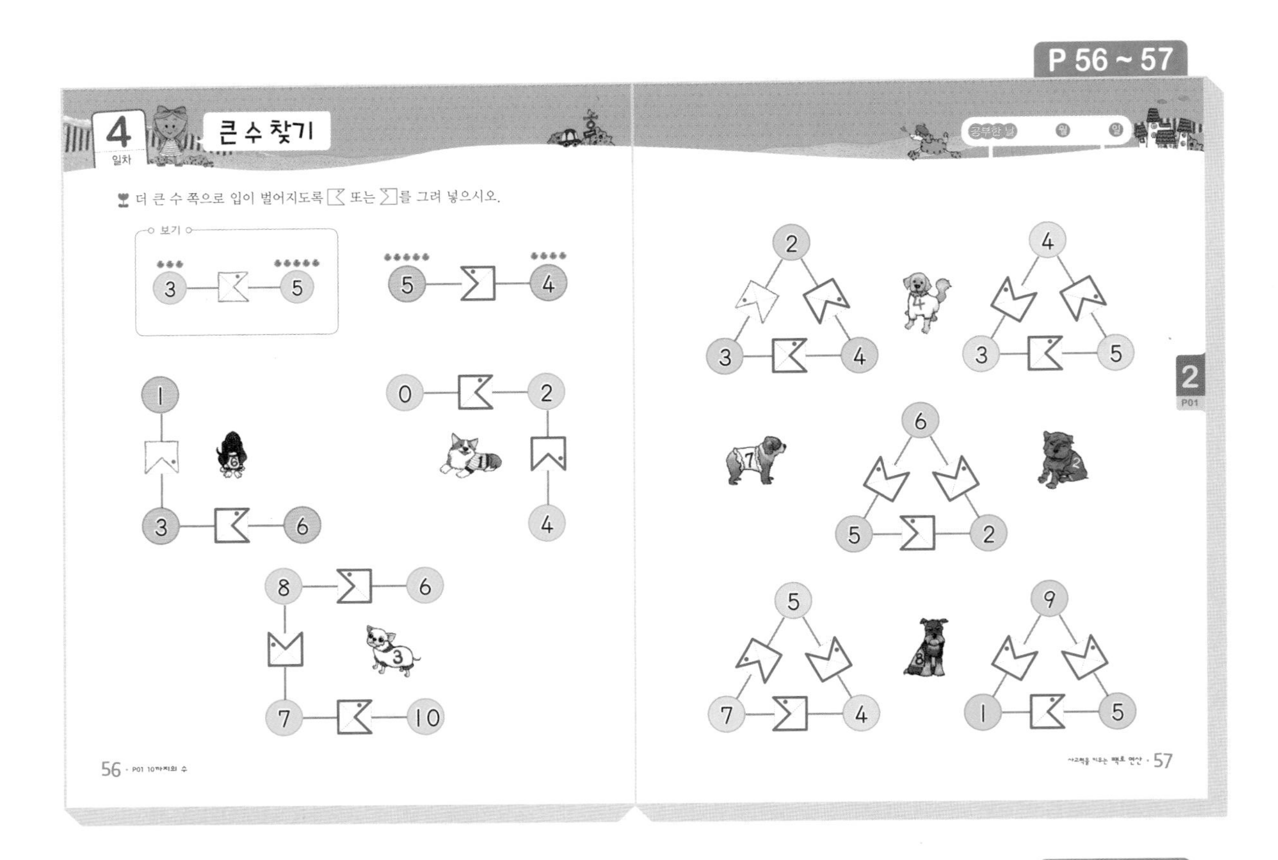
4 일차
큰 수 찾기
더 큰 수 쪽으로 입이 벌어지도록 또는 를 그려 넣으시오.
보기
3
5
4
1
3
6
0
2
4
8
6
7
10
56 · P01 10까지의 수
2
4
3
5
6
5
2
9
7
1
57

P 58 ~ 59

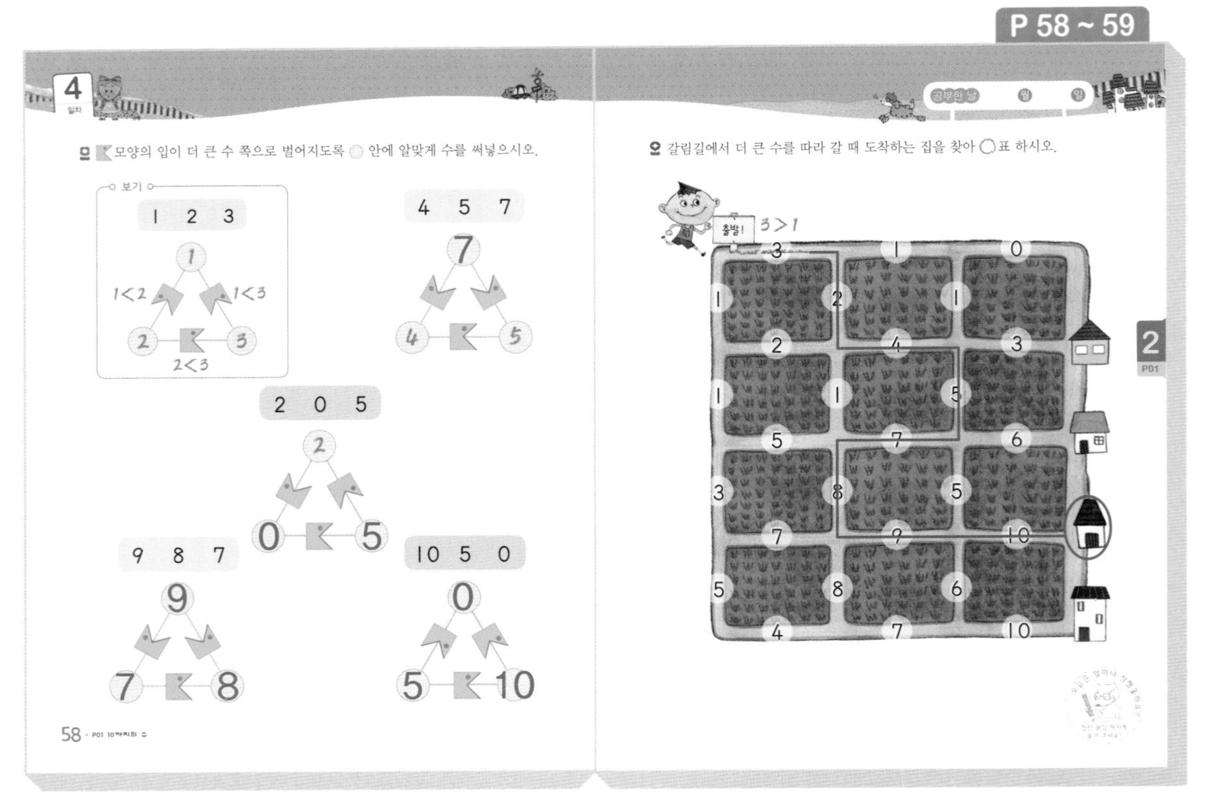
4 일차
모양의 입이 더 큰 수 쪽으로 벌어지도록 안에 알맞게 수를 써넣으시오.
보기
1 2 3
1<2
1<3
2<3
4 5 7
2 0 5
9 8 7
10 5 0
58 · P01 10까지의 수
갈림길에서 더 큰 수를 따라 갈 때 도착하는 집을 찾아 ○표 하시오.
출발!
3>1

P 60 ~ 61

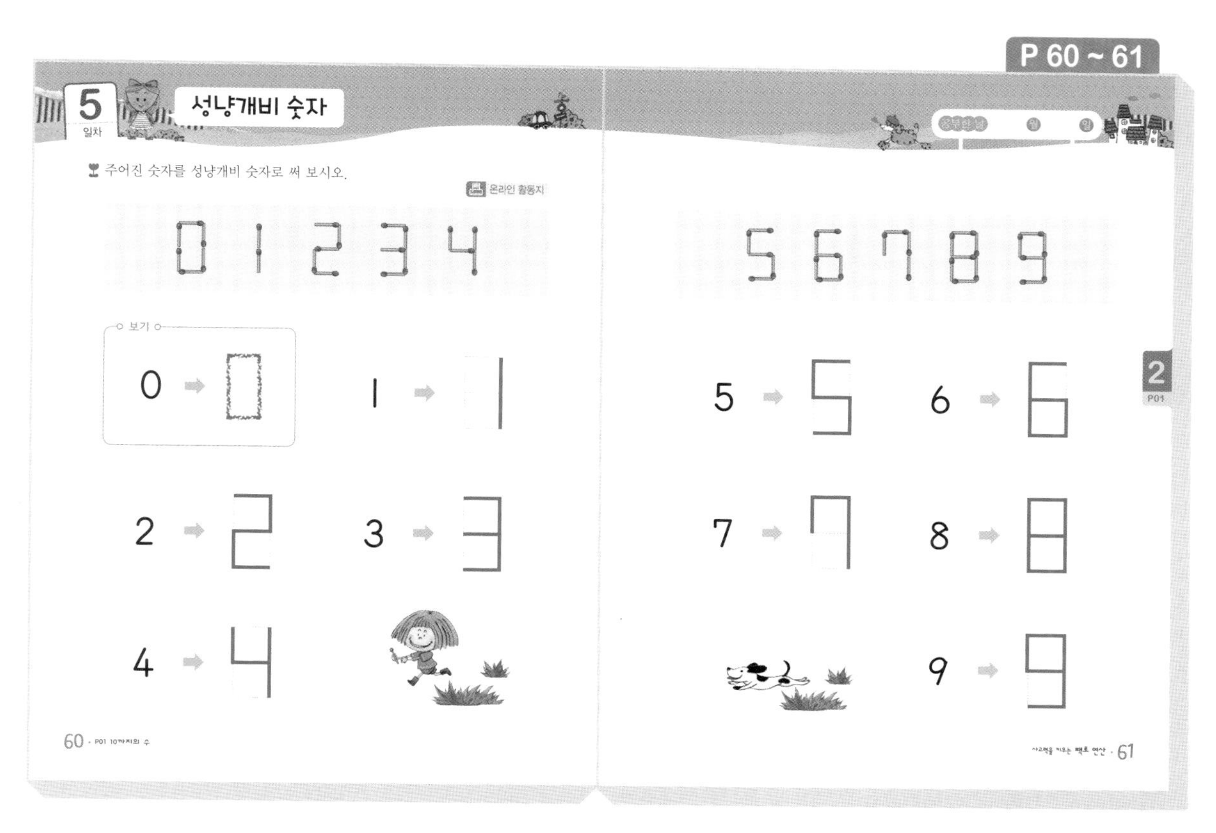
5 일차
성냥개비 숫자
주어진 숫자를 성냥개비 숫자로 써 보시오.
온라인 활동지
보기
0
1
2
3
4
5
6
7
8
9
60 · P01 10까지의 수
사고력을 키우는 팩토 연산 · 61

P 62 ~ 63

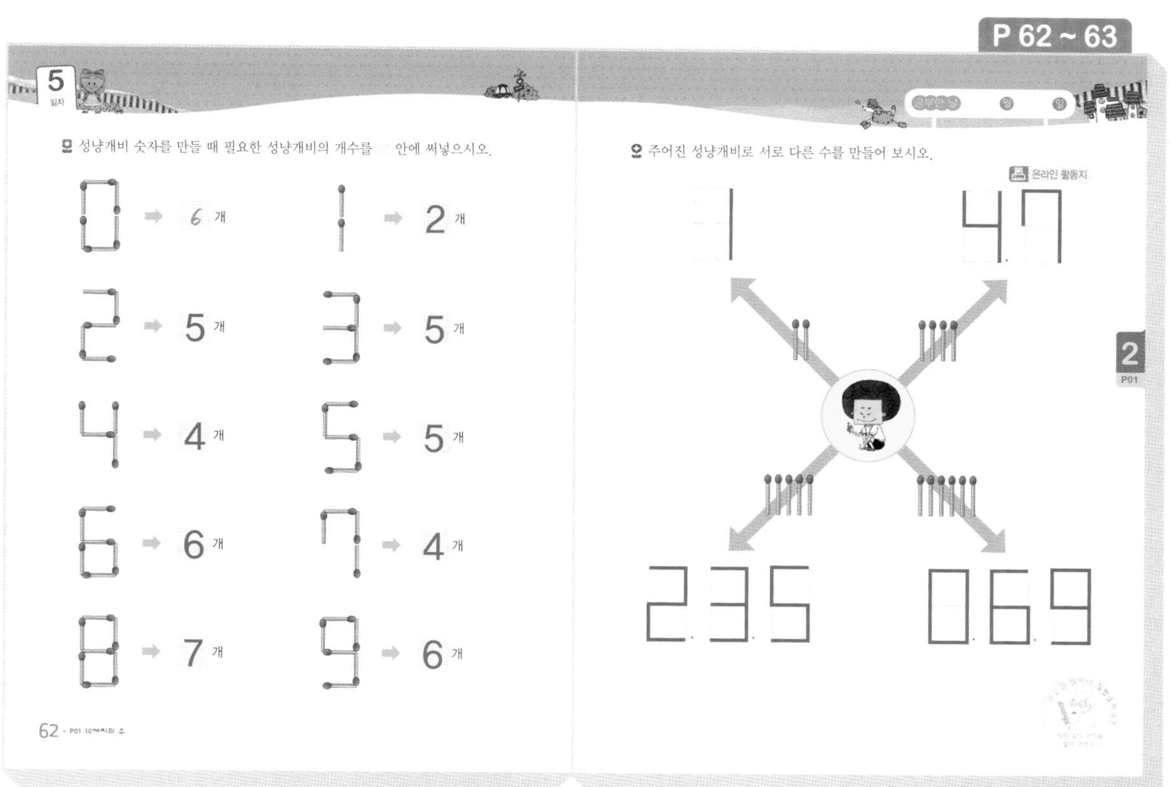
5 일차
성냥개비 숫자를 만들 때 필요한 성냥개비의 개수를 안에 써넣으시오.
6 개
2 개
5 개
5 개
4 개
5 개
6 개
4 개
7 개
6 개
주어진 성냥개비로 서로 다른 수를 만들어 보시오.
온라인 활동지
1
4 7
2 3 5
0 6 9
62 · P01 10까지의 수

P 66 ~ 67

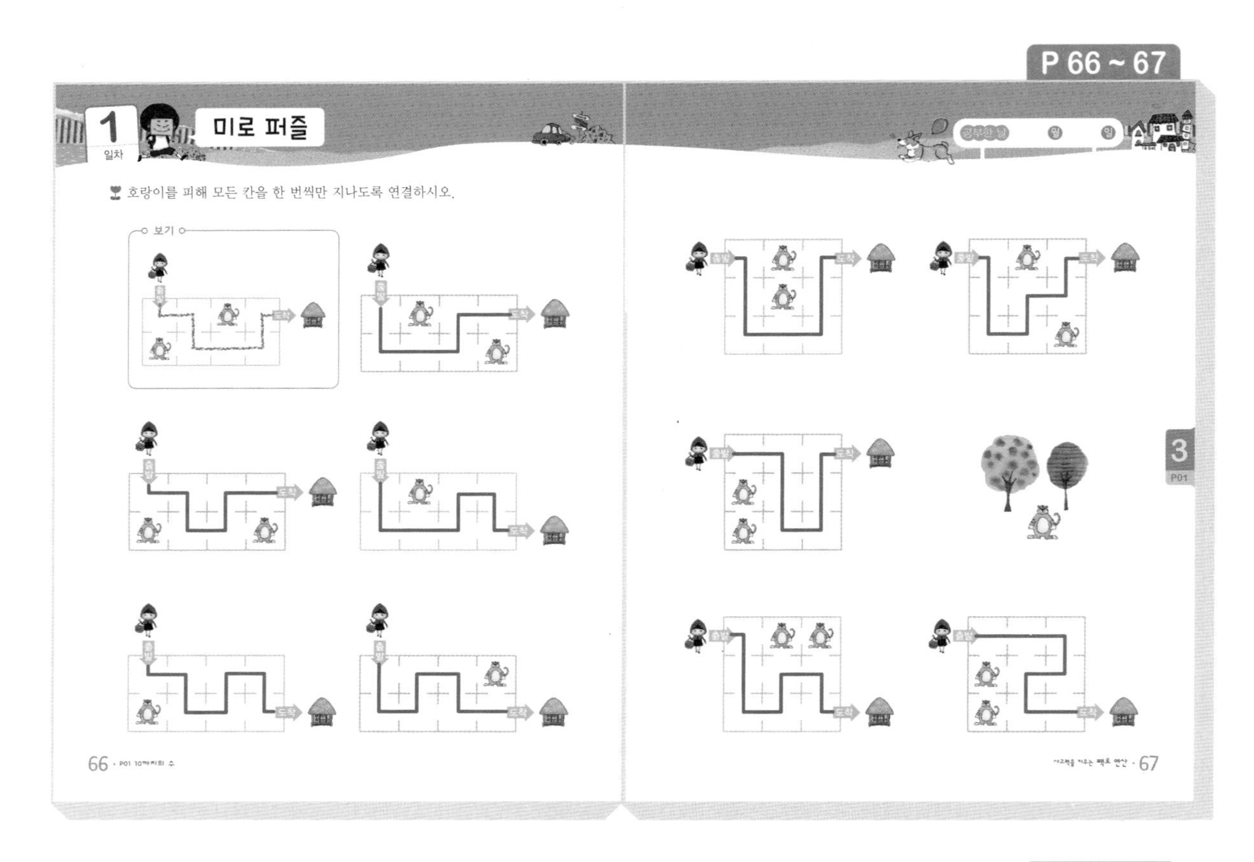
1 일차
미로 퍼즐
호랑이를 피해 모든 칸을 한 번씩만 지나도록 연결하시오.
보기
66 · P01 10까지의 수
67

P 68 ~ 69

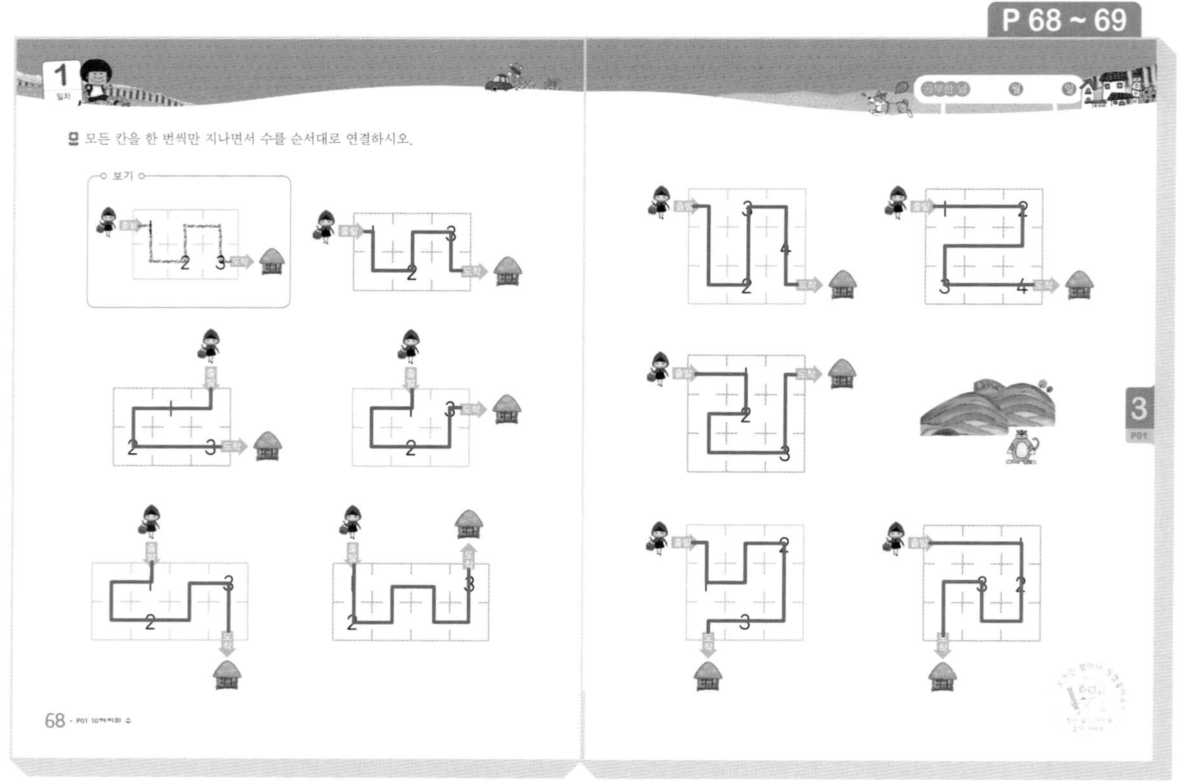
1 일차
모든 칸을 한 번씩만 지나면서 수를 순서대로 연결하시오.
보기
68 · P01 10까지의 수

P 70 ~ 71

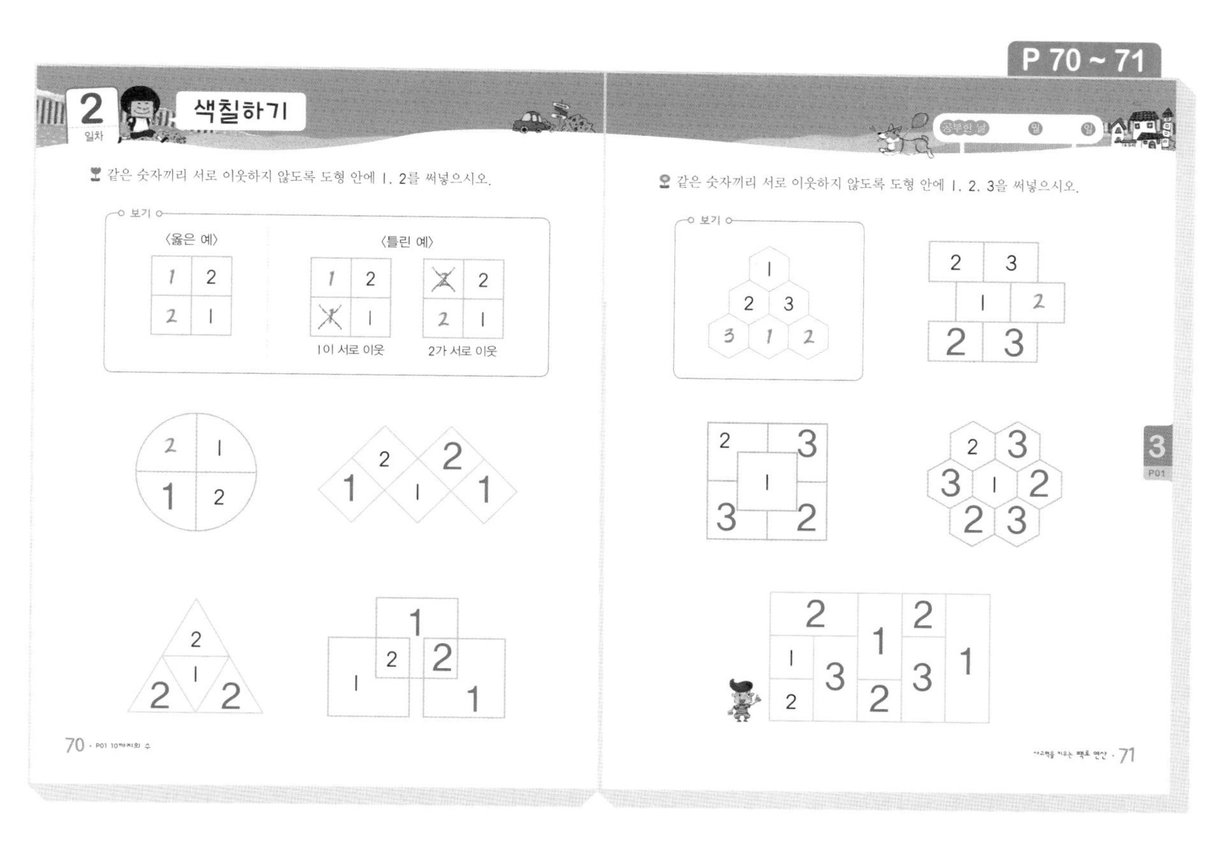
2 일차 색칠하기
같은 숫자끼리 서로 이웃하지 않도록 도형 안에 1, 2를 써넣으시오.
보기
〈옳은 예〉
〈틀린 예〉
1이 서로 이웃
2가 서로 이웃
70 · P01 10까지의 수
같은 숫자끼리 서로 이웃하지 않도록 도형 안에 1, 2, 3을 써넣으시오.
보기
사고력을 키우는 팩토 연산 · 71

P 72 ~ 73

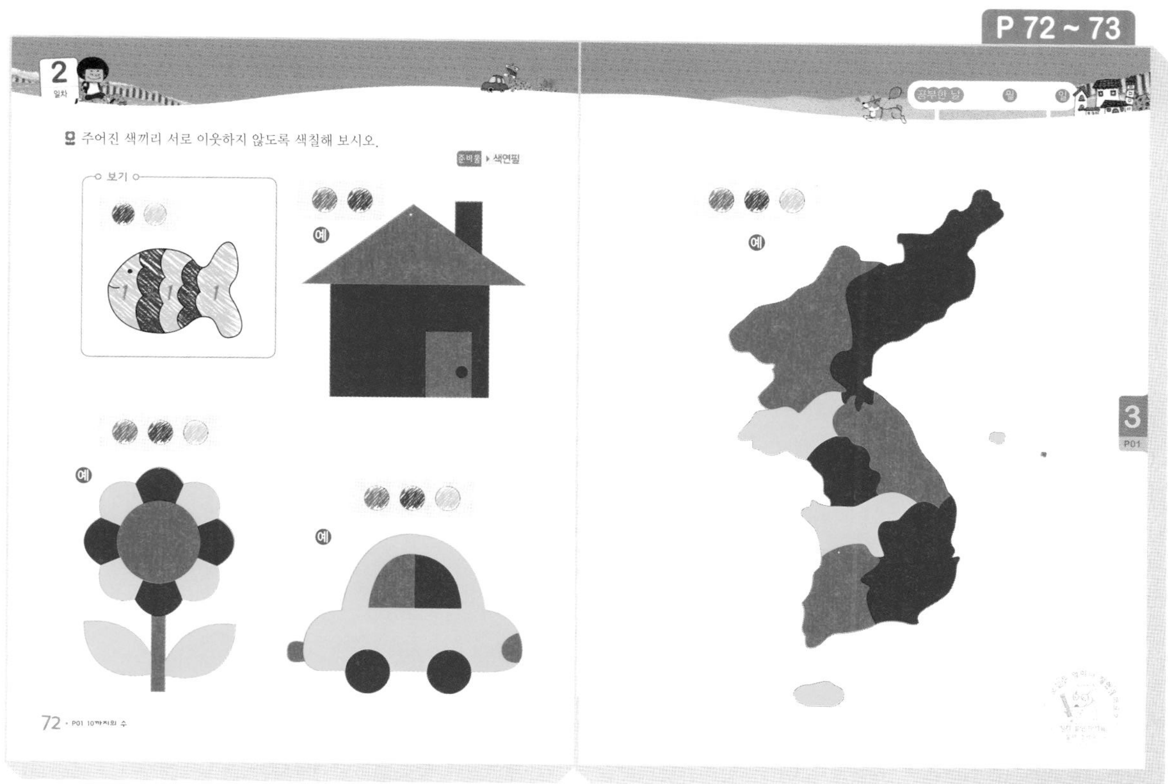
2 일차
주어진 색끼리 서로 이웃하지 않도록 색칠해 보시오.
준비물 색연필
보기
예
72 · P01 10까지의 수

P 74 ~ 75

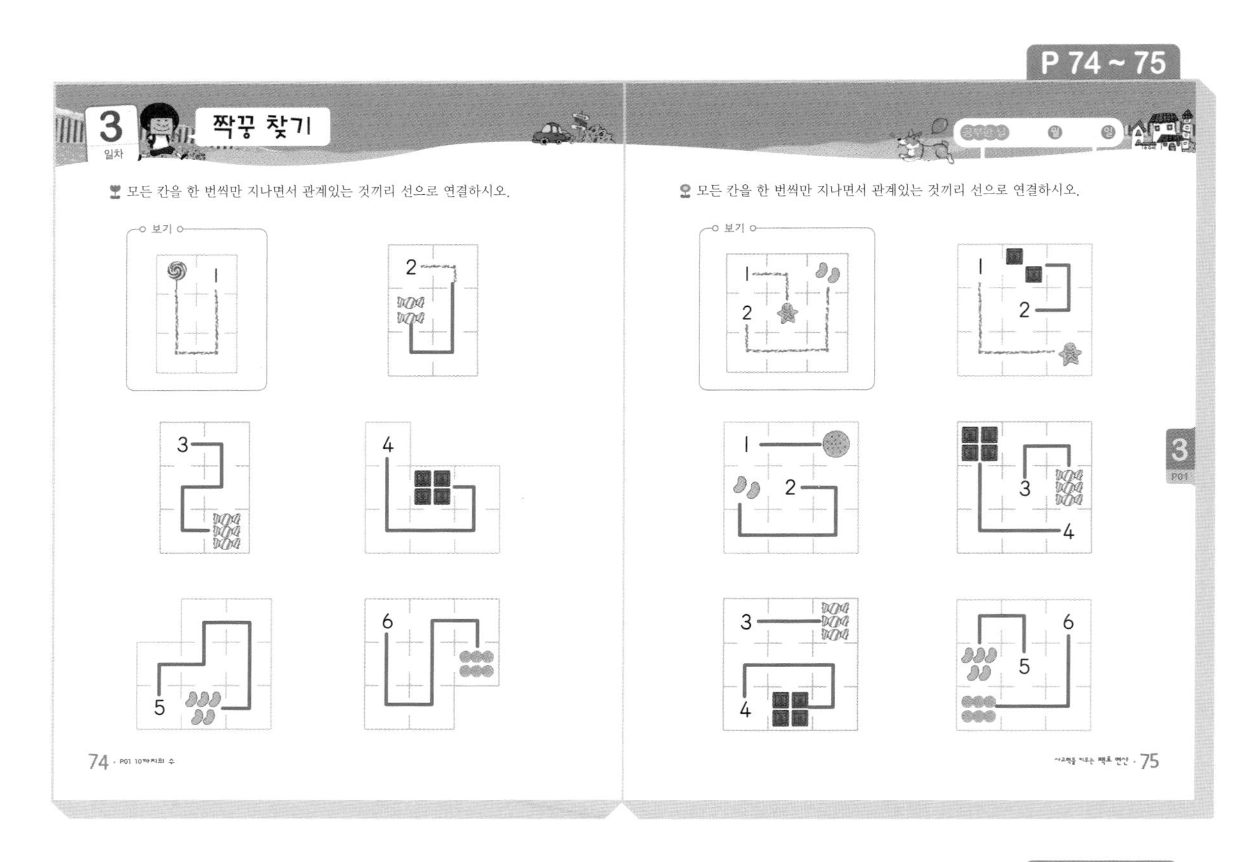

3 일차 짝꿍 찾기
모든 칸을 한 번씩만 지나면서 관계있는 것끼리 선으로 연결하시오.
보기
1
2
3
4
5
6
74 · P01 10까지의 수
모든 칸을 한 번씩만 지나면서 관계있는 것끼리 선으로 연결하시오.
보기
1
2
3
4
5
6
75

P 76 ~ 77

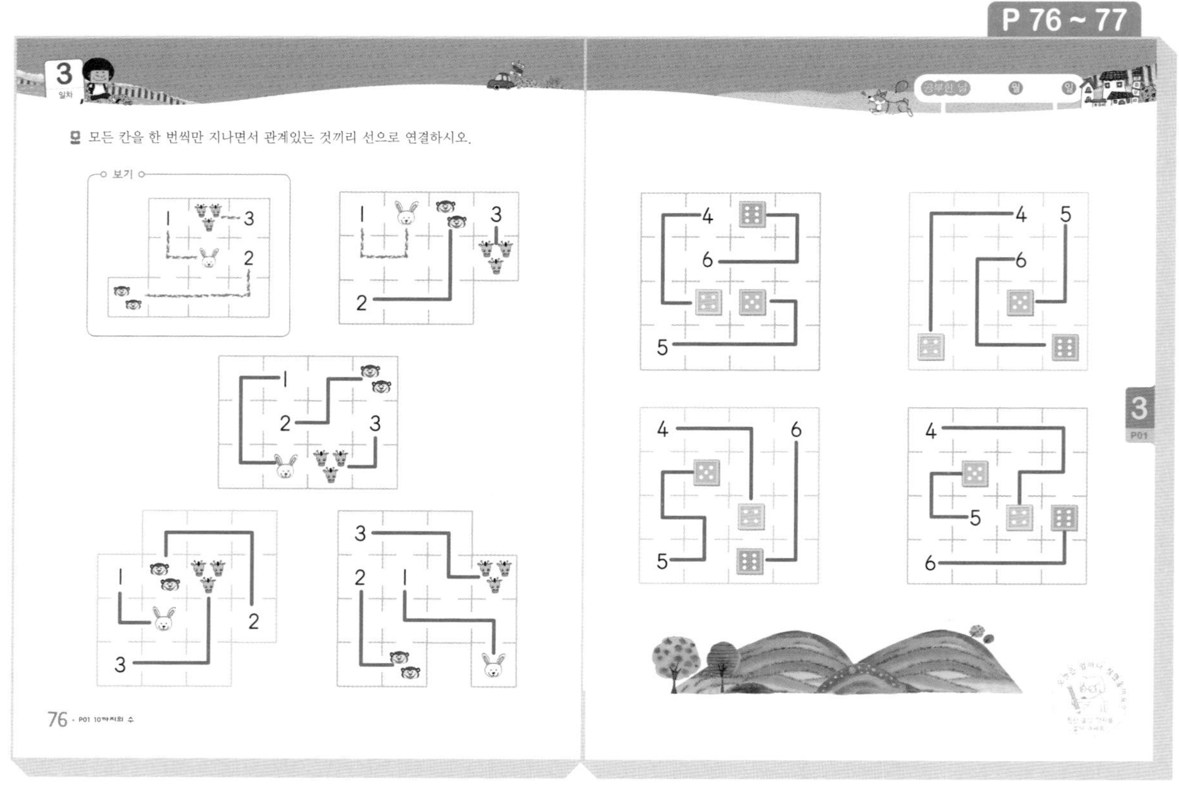

3 일차
모든 칸을 한 번씩만 지나면서 관계있는 것끼리 선으로 연결하시오.
보기
1
2
3
4
5
6
76 · P01 10까지의 수

P 78 ~ 79

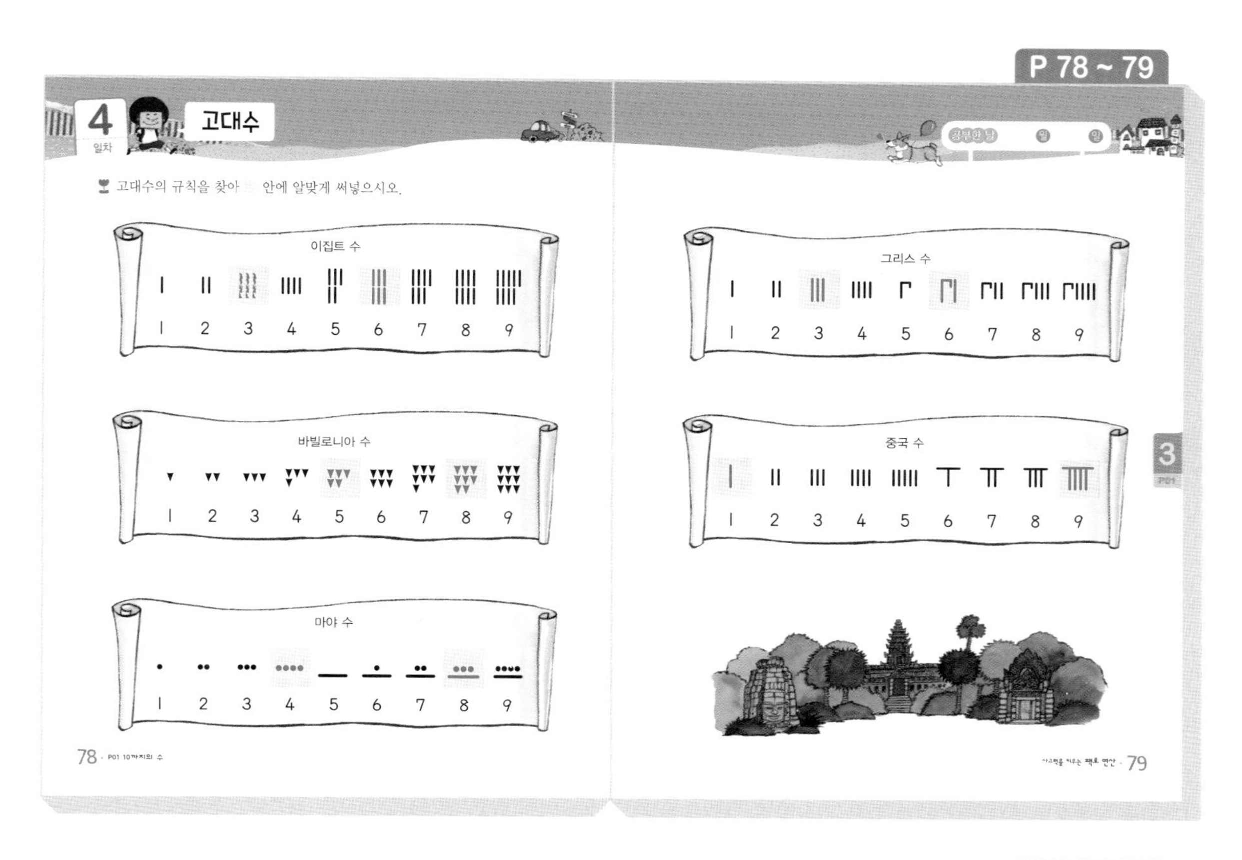
4 일차
고대수
고대수의 규칙을 찾아 안에 알맞게 써넣으시오.
이집트 수
1 2 3 4 5 6 7 8 9
바빌로니아 수
1 2 3 4 5 6 7 8 9
마야 수
1 2 3 4 5 6 7 8 9
그리스 수
1 2 3 4 5 6 7 8 9
중국 수
1 2 3 4 5 6 7 8 9
78
79

P 80 ~ 81

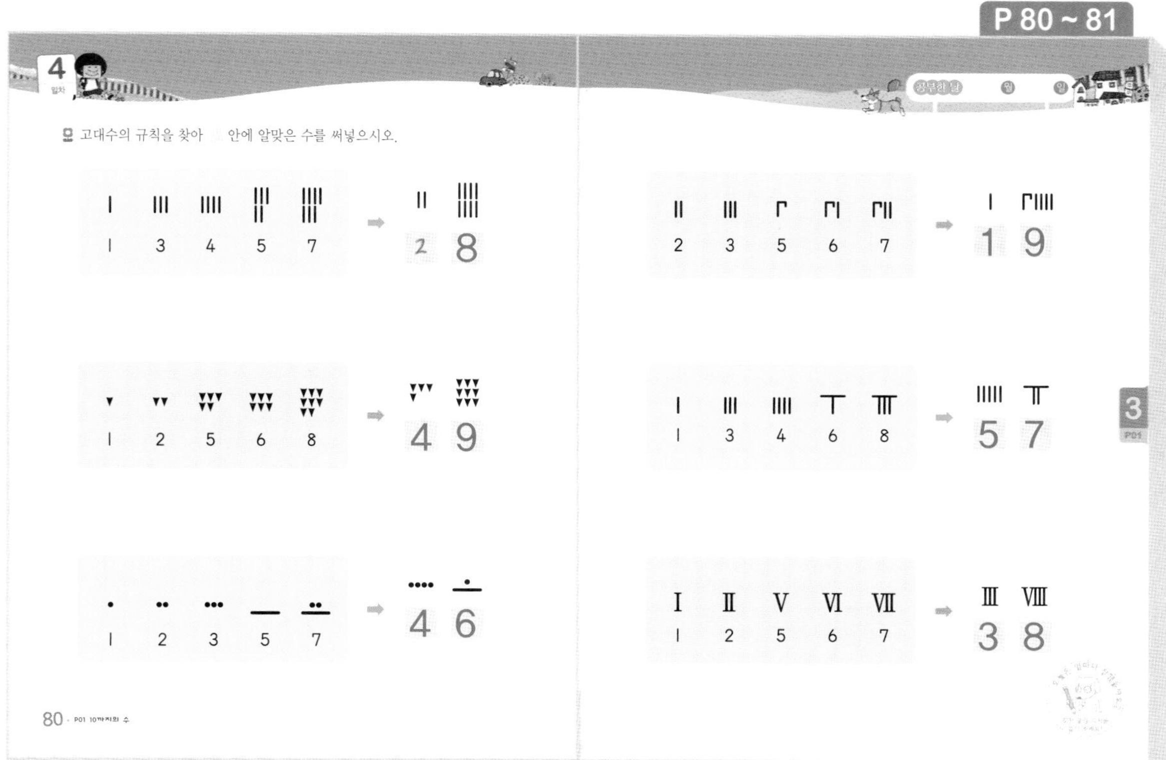
4 일차
고대수의 규칙을 찾아 안에 알맞은 수를 써넣으시오.
1 3 4 5 7
2 8
1 2 5 6 8
4 9
1 2 3 5 7
4 6
2 3 5 6 7
1 9
1 3 4 6 8
5 7
I II V VI VII
1 2 5 6 7
III VIII
3 8
80

P 82 ~ 83

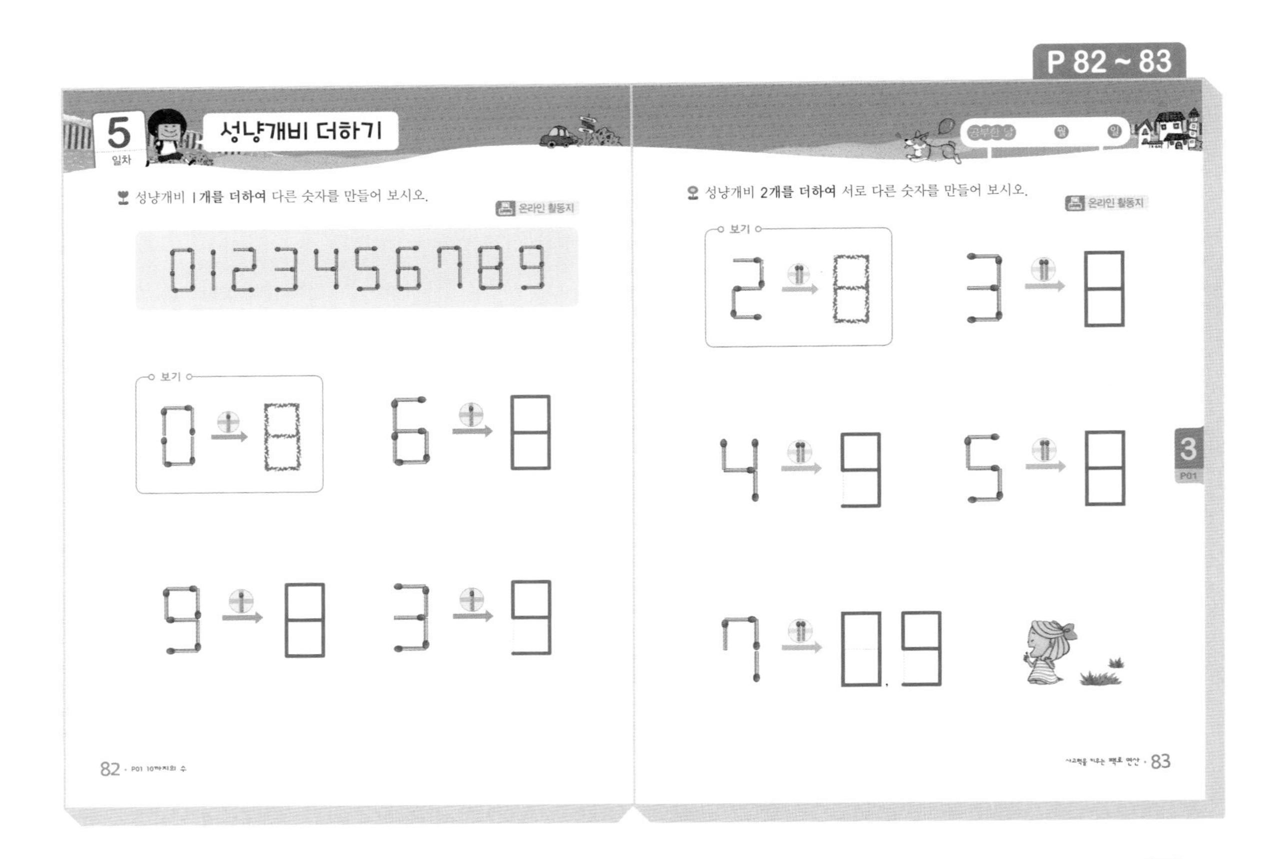
5 일차
성냥개비 더하기
성냥개비 1개를 더하여 다른 숫자를 만들어 보시오.
온라인 활동지
0123456789
보기
성냥개비 2개를 더하여 서로 다른 숫자를 만들어 보시오.
온라인 활동지
보기
3
P01
82 · P01 10까지의 수
83

P 84 ~ 85

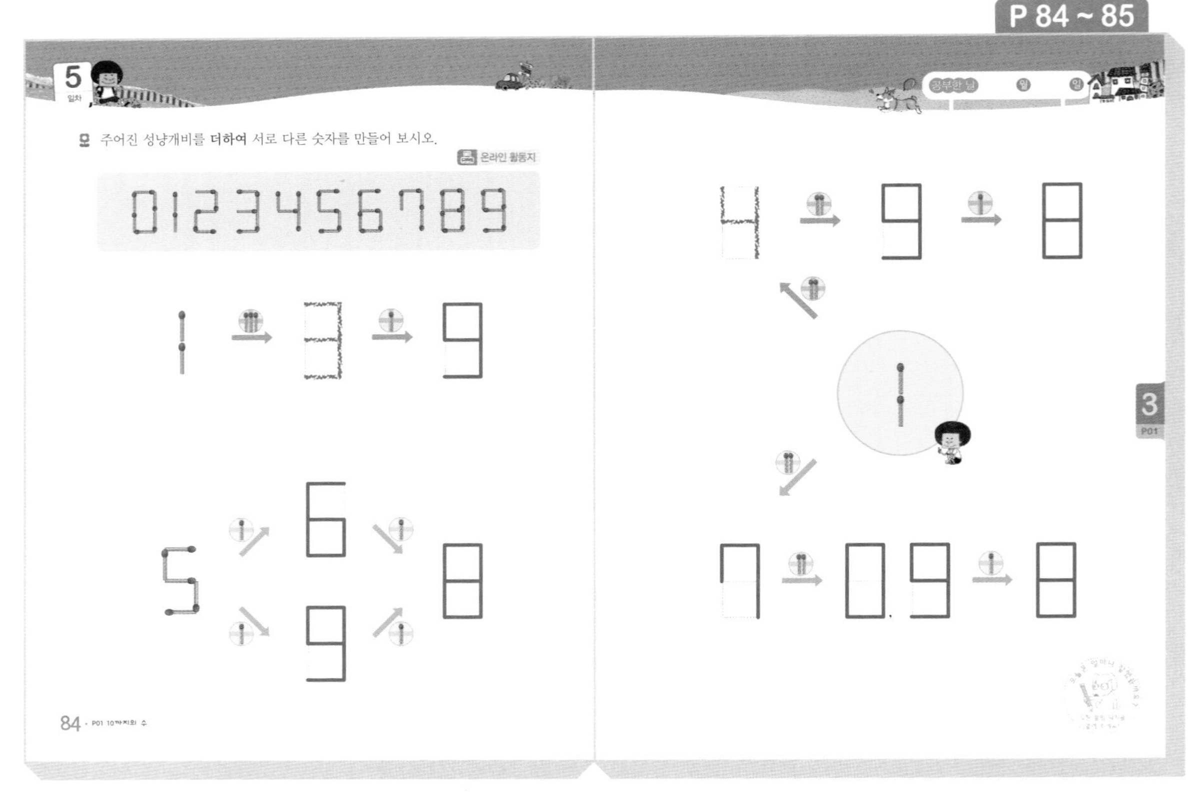
5 일차
주어진 성냥개비를 더하여 서로 다른 숫자를 만들어 보시오.
온라인 활동지
0123456789
3
P01
84 · P01 10까지의 수

P 88 ~ 89

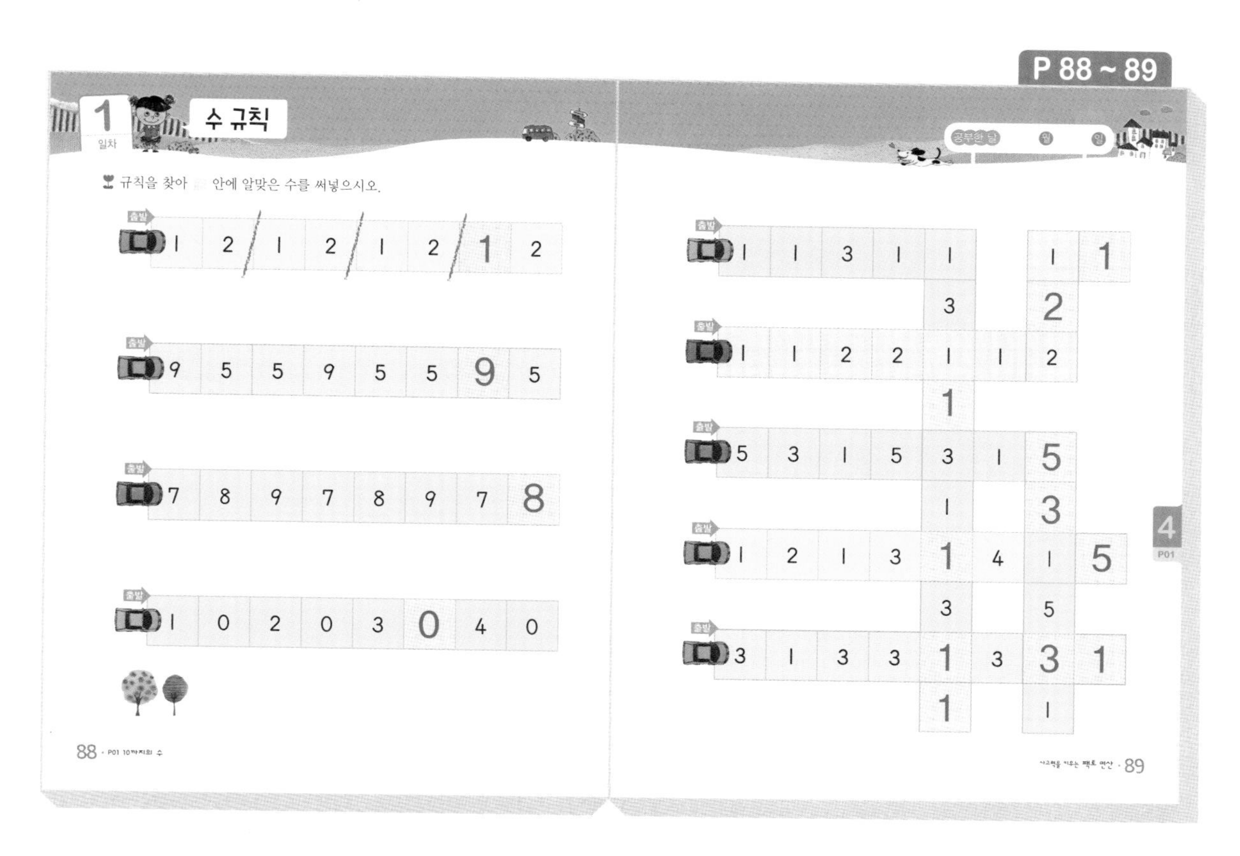
1 일차 수 규칙
규칙을 찾아 안에 알맞은 수를 써넣으시오.
1 2 1 2 1 2 1 2
9 5 5 9 5 5 9 5
7 8 9 7 8 9 7 8
1 0 2 0 3 0 4 0
88 · P01 10까지의 수
1 1 3 1 1 1 1
3 2
1 1 2 2 1 1 2
1
5 3 1 5 3 1 5
1 3
1 2 1 3 1 4 1 5
3 5
3 1 3 3 1 3 3 1
1 1
사고력을 키우는 팩토 연산 · 89

P 90 ~ 91

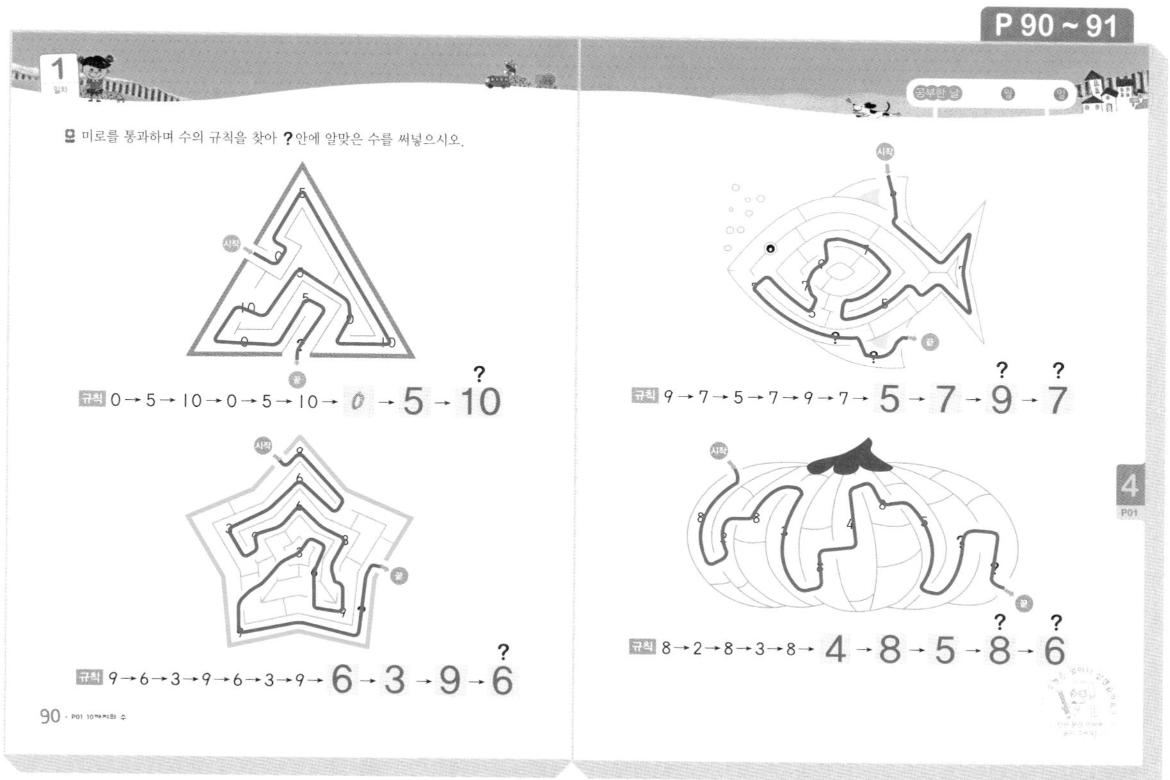
미로를 통과하며 수의 규칙을 찾아 ? 안에 알맞은 수를 써넣으시오.
규칙 0 → 5 → 10 → 0 → 5 → 10 → 0 → 5 → 10
규칙 9 → 6 → 3 → 9 → 6 → 3 → 9 → 6 → 3 → 9 → 6
90 · P01 10까지의 수
규칙 9 → 7 → 5 → 7 → 9 → 7 → 5 → 7 → 9 → 7
규칙 8 → 2 → 8 → 3 → 8 → 4 → 8 → 5 → 8 → 6

P 92 ~ 93

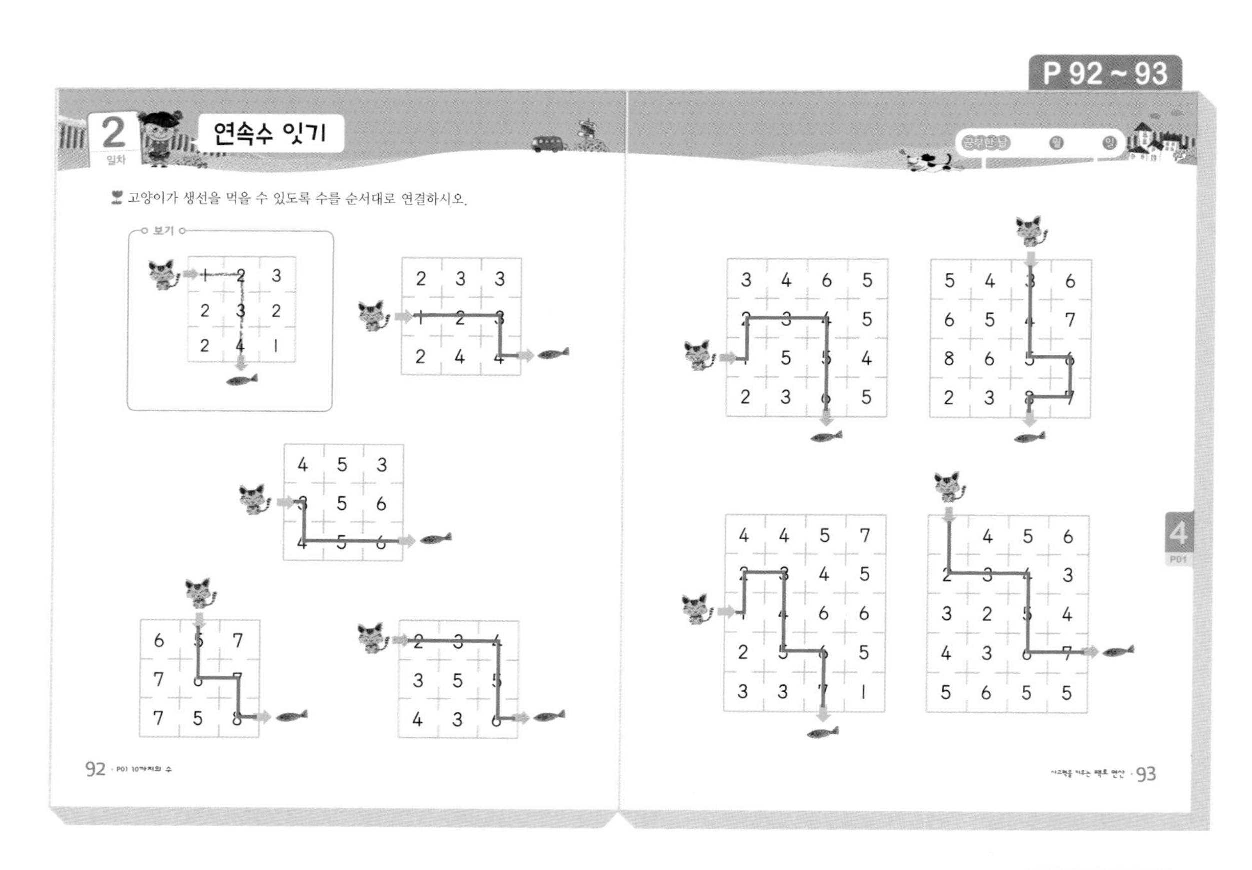
2 일차
연속수 잇기
고양이가 생선을 먹을 수 있도록 수를 순서대로 연결하시오.
보기
92 · P01 10까지의 수
93

P 94 ~ 95

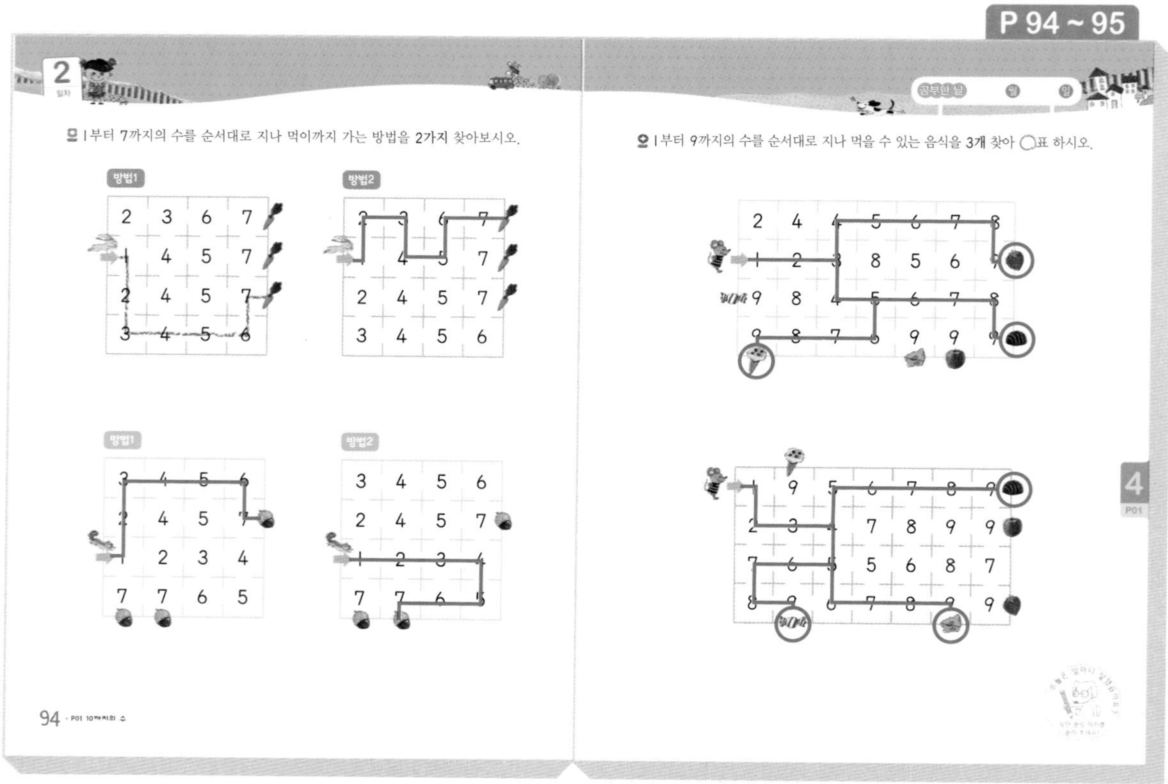
2 일차
1부터 7까지의 수를 순서대로 지나 먹이까지 가는 방법을 2가지 찾아보시오.
방법1
방법2
1부터 9까지의 수를 순서대로 지나 먹을 수 있는 음식을 3개 찾아 ○표 하시오.
94 · P01 10까지의 수

P01 정답

P 96 ~ 97

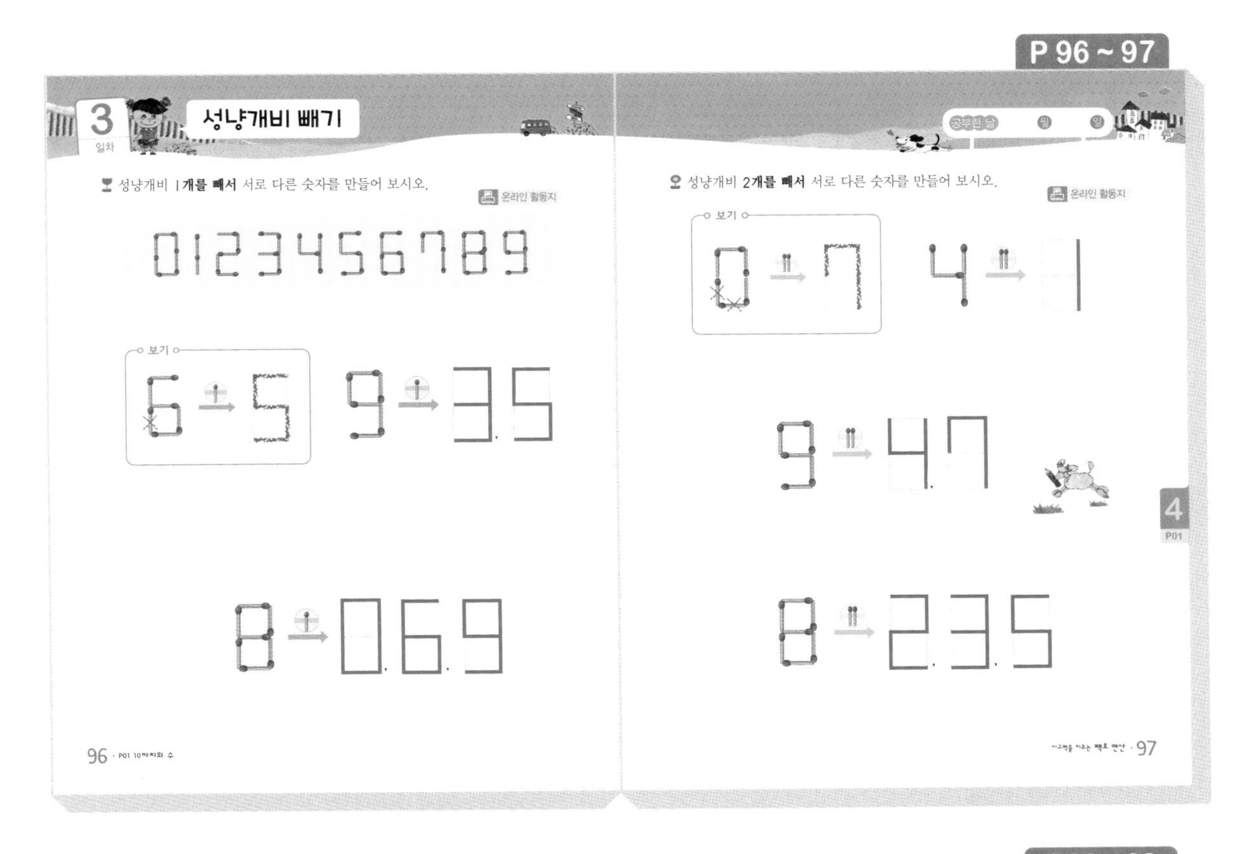

P 98 ~ 99

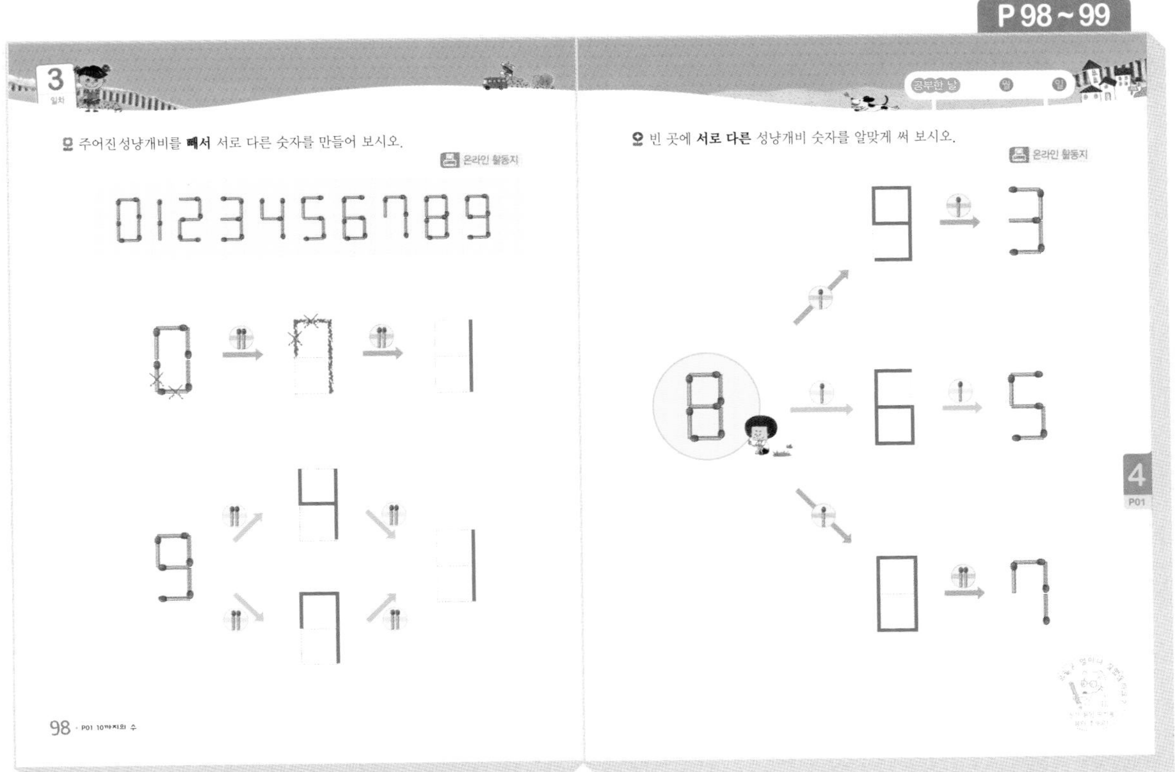

P 100~101

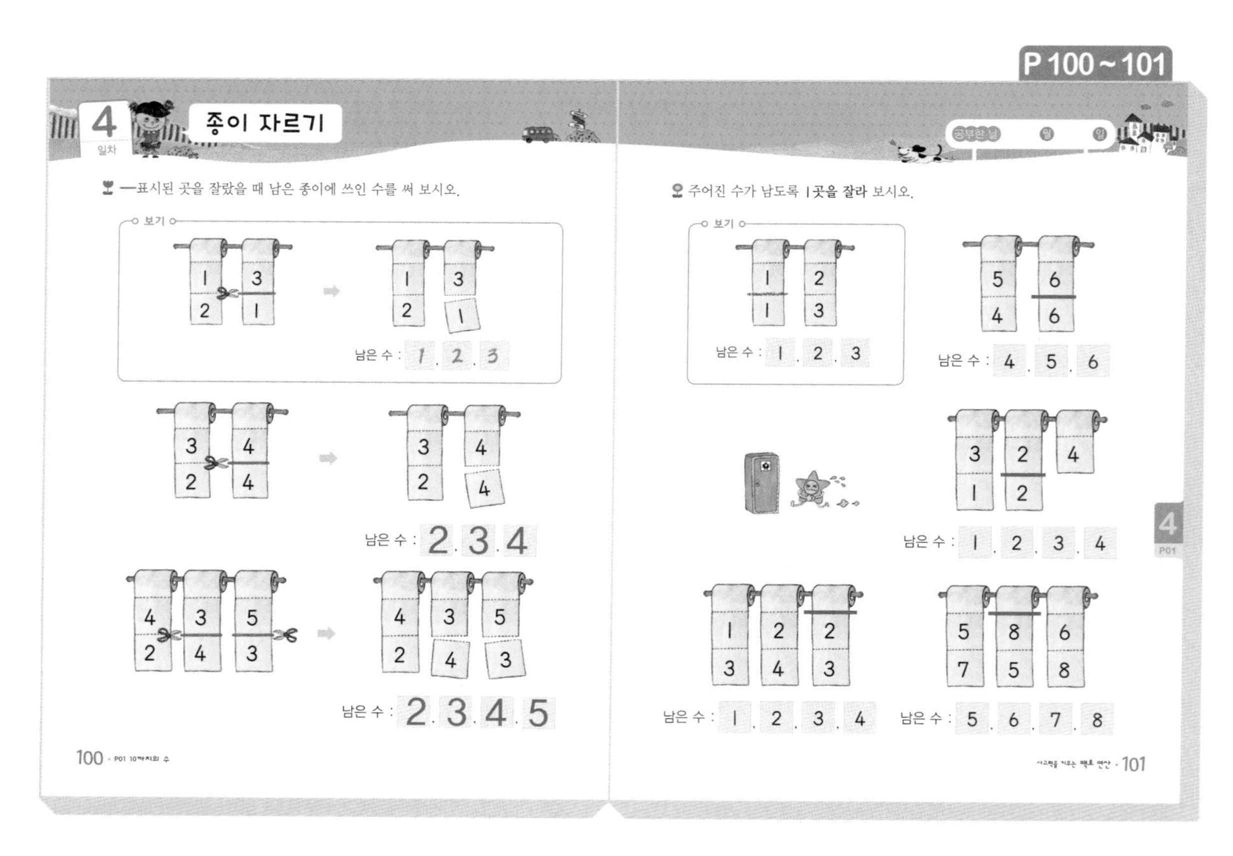
4 일차 종이 자르기

공부한 날 월 일

— 표시된 곳을 잘랐을 때 남은 종이에 쓰인 수를 써 보시오.

보기

남은 수 : 1, 2, 3

남은 수 : 2, 3, 4

남은 수 : 2, 3, 4, 5

주어진 수가 남도록 1곳을 잘라 보시오.

보기

남은 수 : 1, 2, 3

남은 수 : 4, 5, 6

남은 수 : 1, 2, 3, 4

남은 수 : 1, 2, 3, 4

남은 수 : 5, 6, 7, 8

100 · P01 10까지의 수

사고력을 키우는 팩토 연산 · 101

P 102~103

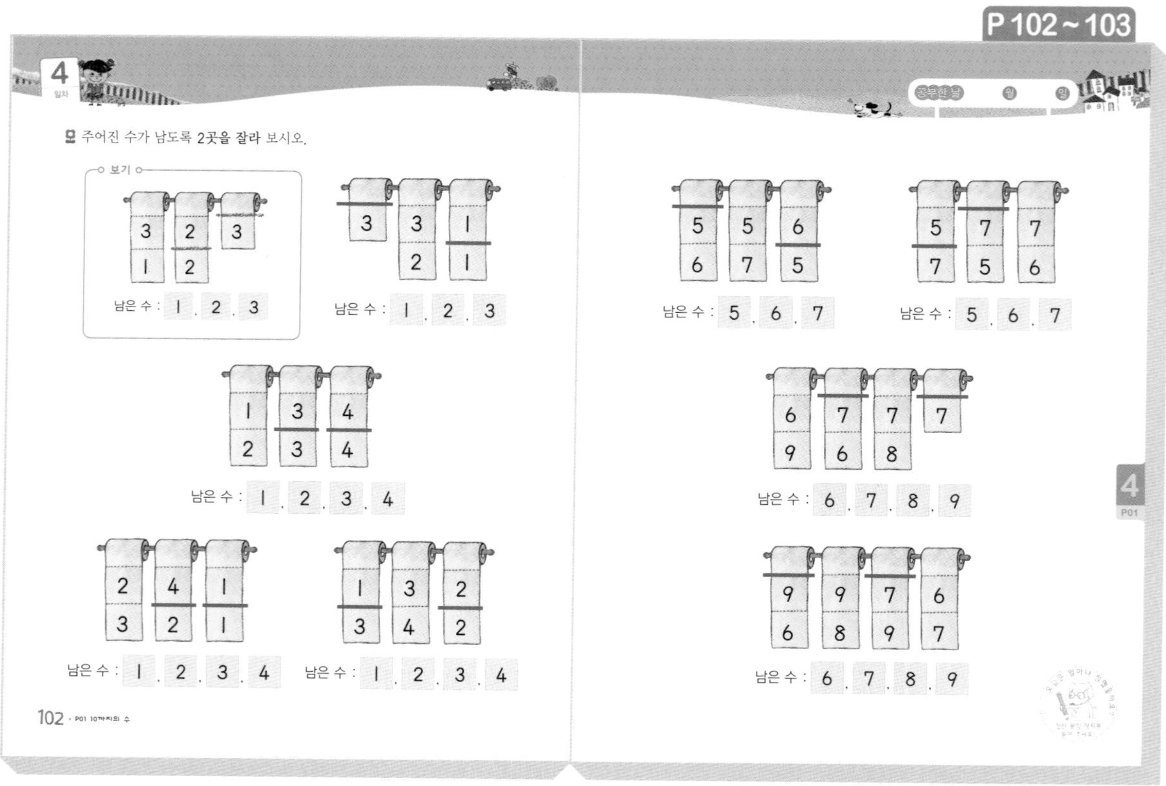
4 일차

공부한 날 월 일

주어진 수가 남도록 2곳을 잘라 보시오.

보기

남은 수 : 1, 2, 3

남은 수 : 1, 2, 3

남은 수 : 5, 6, 7

남은 수 : 5, 6, 7

남은 수 : 1, 2, 3, 4

남은 수 : 6, 7, 8, 9

남은 수 : 1, 2, 3, 4

남은 수 : 1, 2, 3, 4

남은 수 : 6, 7, 8, 9

102 · P01 10까지의 수

P 104 ~ 105

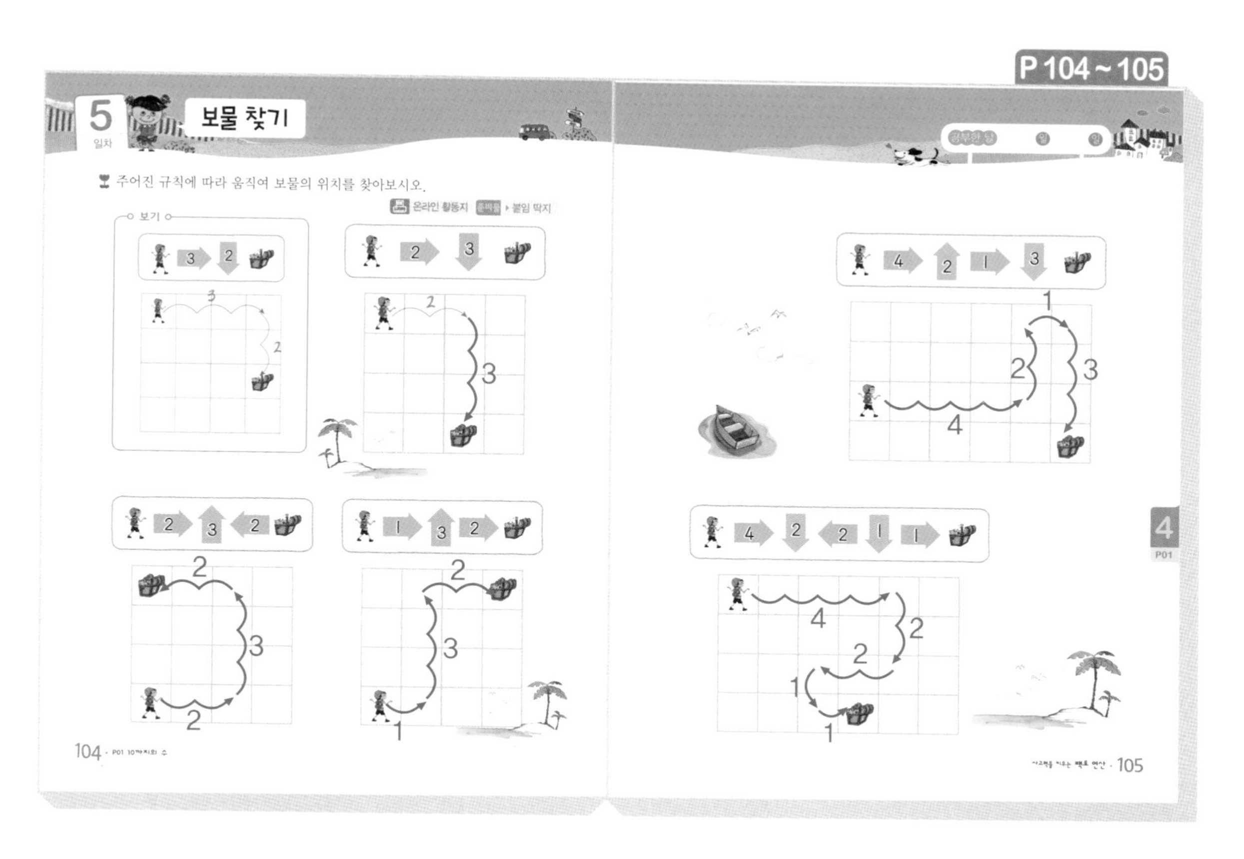

P 106 ~ 107

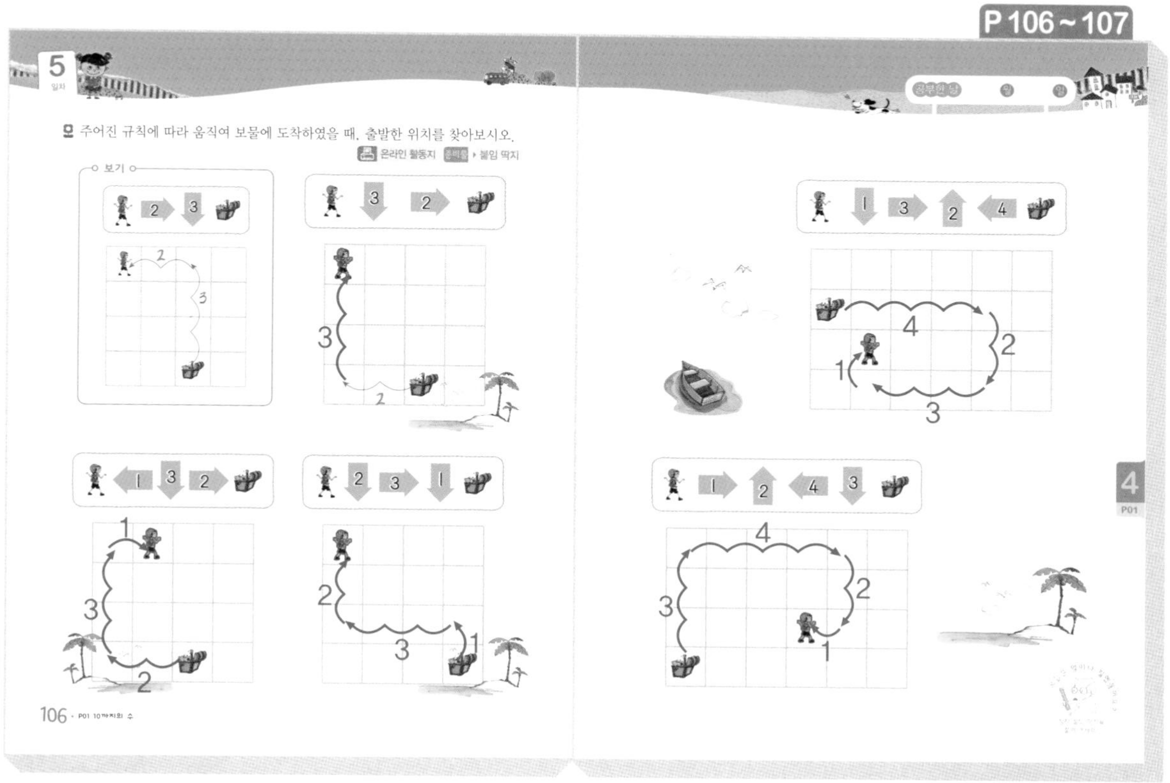

memo

상 장

이 름 : ____________

위 어린이는 **팩토 연산 P01권**을
창의적인 생각과 노력으로 성실히
잘 풀었으므로 이 상장을 드립니다.

20 년 월 일

매스티안

위 상장은 8"*10"(20.3*25.4cm)액자에 넣을 수 있도록 제작하였습니다.

본 책을 마친 아이들에게 위 상장을 수여하며 아낌없는 칭찬과 힘찬 박수를 보내 주세요.
아이들은 칭찬을 받으면 받을수록 수학에 대한 자신감이 더 생길 것입니다.

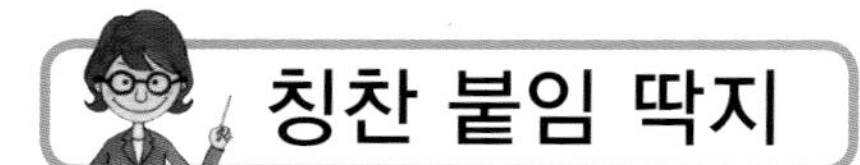

학습이 끝날 때마다 붙임 딱지를 붙여 주세요.

P. 14

P. 20

P. 26

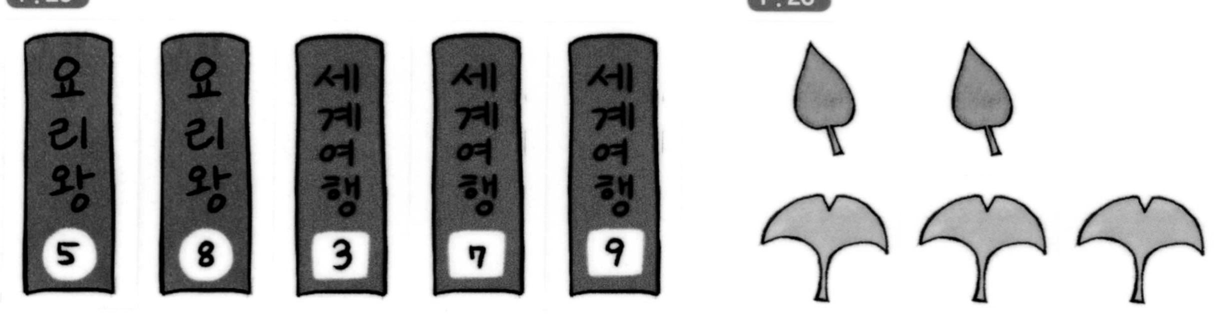

P. 32

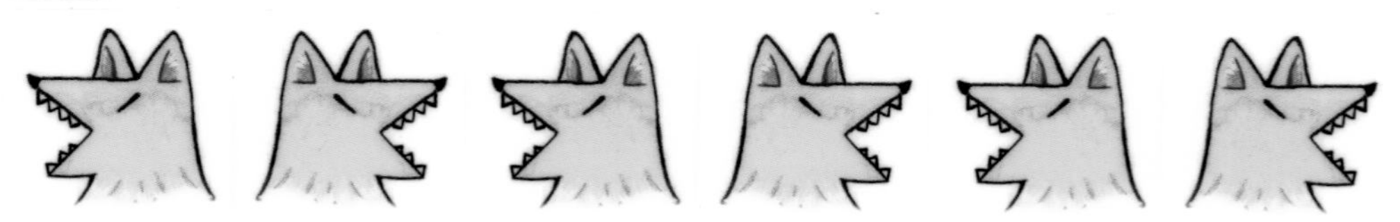

P. 46

P. 104~105

P. 106~107

논리적 사고력과 창의적 문제해결력을 키워 주는

매스티안 교재 활용법!

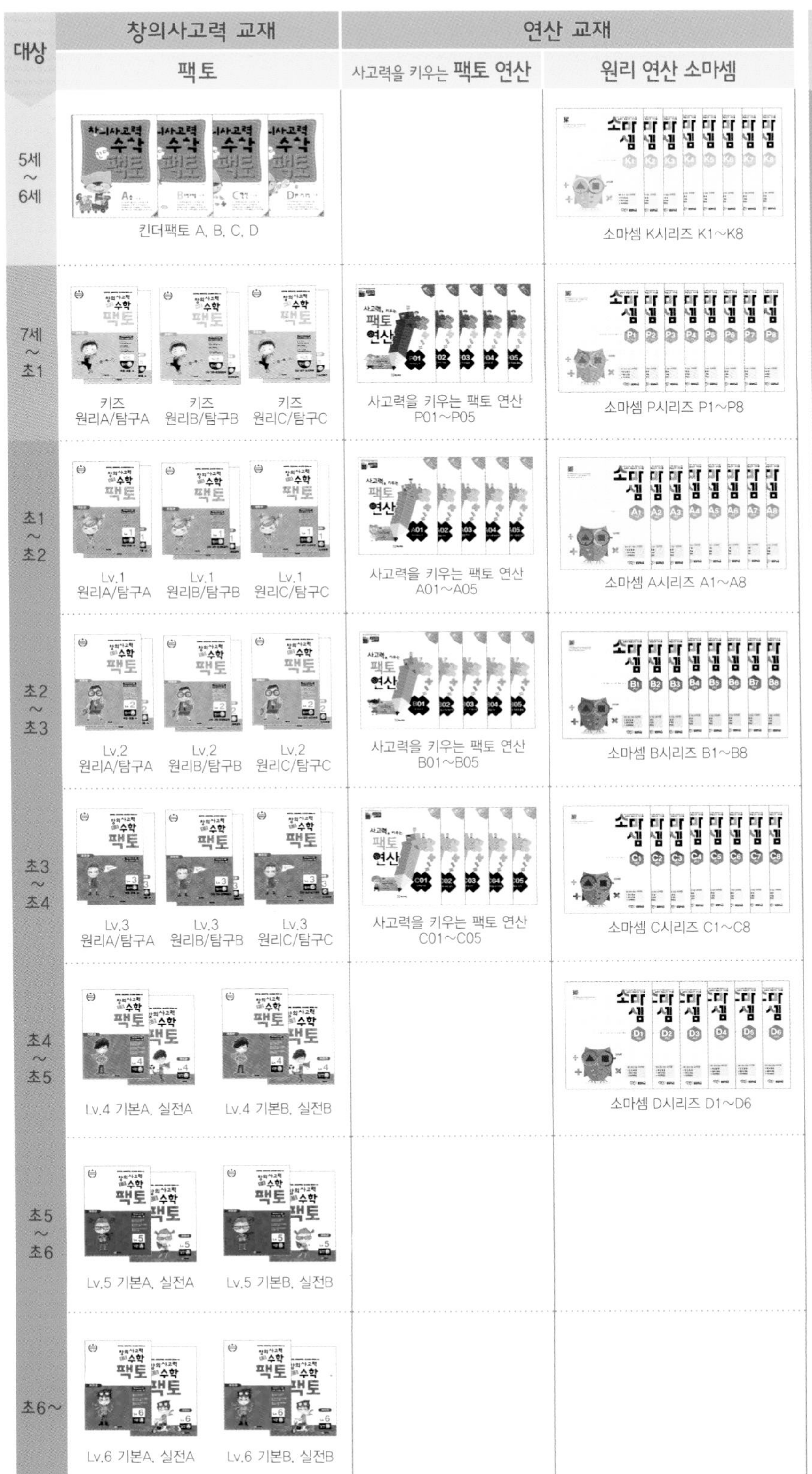

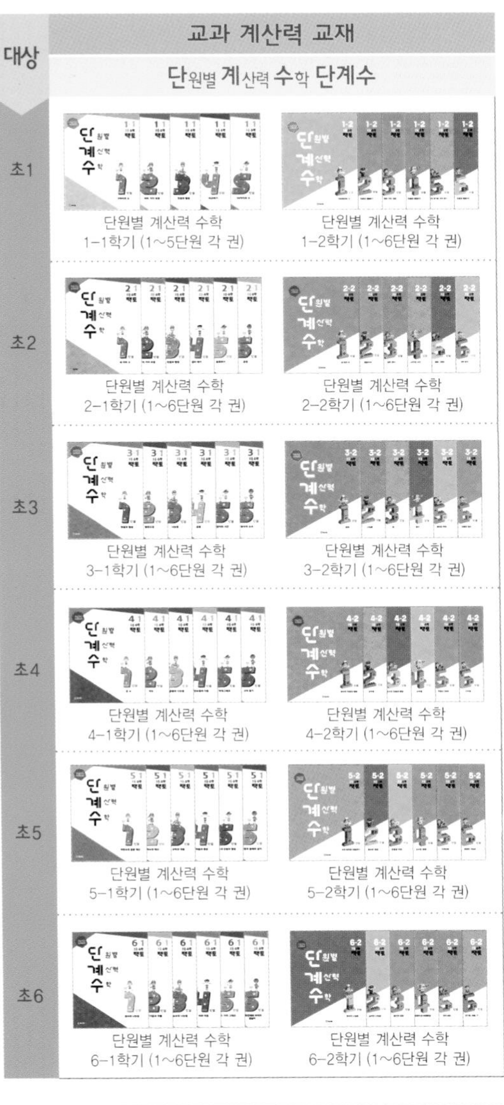

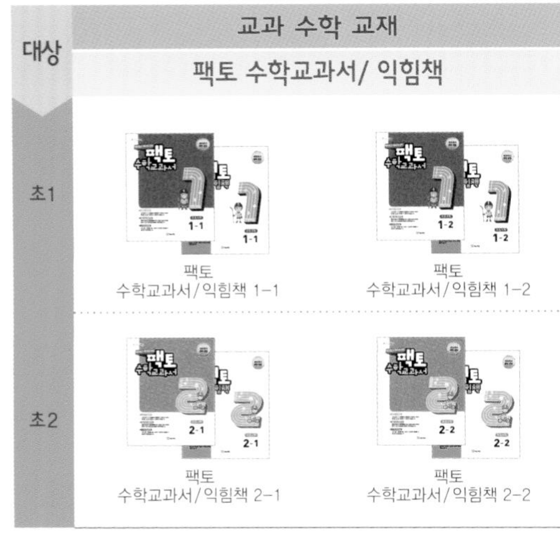

값 9,000원

자율안전확인신고필증번호 : B361H200-4001

1. 주소 : 06153 서울특별시 강남구 봉은사로 442 (삼성동)
2. 문의전화 : 1588-6066
3. 제조국 : 대한민국
4. 사용연령 : 7세 이상

※ KC마크는 이 제품이 공통안전기준에 적합하였음을 의미합니다.

주의
종이, 모서리에 다칠 수 있으니 주의하세요!

ISBN 978-89-286-2748-6